1일 10분

초등 내가 어휘력

KB067057

초등 1~2학년

3권

자기 주도 학습력을 기르는 1일 10분 공부 습관!

☑ 공부가 쉬워지는 힘, 자기 주도 학습력!

자기 주도 학습력은 스스로 학습을 계획하고, 계획한 대로 실행하고, 결과를 평가하는 과정에서 향상됩니다.
이 과정을 매일 반복하여 훈련하다 보면 주체적인 학습이 가능해지며 이는 곧 공부 자신감으로 연결됩니다.

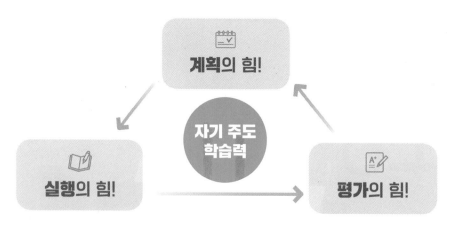

☑ 1일 10분 시리즈의 3단계 학습 로드맵

〈1일 10분〉 시리즈는 계획, 실행, 평가하는 3단계 학습 로드맵으로 자기 주도 학습력을 향상시킵니다.
또한 1일 10분씩 꾸준히 학습할 수 있는 **부담 없는 학습량**으로 매일매일 공부 습관이 형성됩니다.

1 단계 학습 계획하기	**2** 단계 학습 실행하기	**3** 단계 결과 평가하기
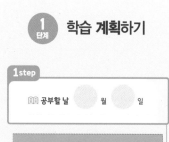	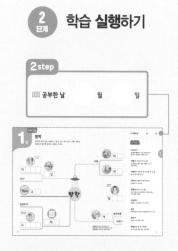	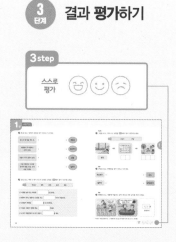
주 단위로 학습 목표를 확인하고 학습할 날짜를 스스로 계획하는 과정에서 자기 주도 학습력이 향상됩니다.	1일 10분 주 5일 매일 일정 분량 학습으로, 초등 학습의 기초를 탄탄하게 잡는 공부 습관이 형성됩니다.	학습을 완료하고 계획대로 실행했는지 스스로 진단하며 성취감과 공부 자신감이 길러집니다.

이 책의 특징

· · · ·
마인드맵으로 배우는 교과 어휘
초등 메가 어휘력

 마인드맵을 활용하여 어휘를 효과적으로 학습합니다.

마인드맵은 영국의 두뇌학자인 토니 부잔(Tony Buzan)이 만든 시각적인 사고 도구(Visual Thinking)로, 좌뇌와 우뇌를 동시에 사용하여 자신의 생각을 지도를 그리듯 이미지화한 것입니다. 전문가들은 마인드맵을 활용하면 어휘를 깊이 있게 이해하고 더 오래 기억할 수 있다고 말합니다. 〈1일 10분 초등 메가 어휘력〉은 주제를 중심으로 어휘 사이의 관계를 이해하고 사고력, 창의력, 기억력을 높여 어휘를 효과적으로 학습할 수 있도록 합니다.

 교과 선정 어휘로 구성하여 교과 학습을 도와줍니다.

〈1일 10분 초등 메가 어휘력〉은 초등 교과를 바탕으로 선정한 주제와 그와 관련된 어휘들로 이루어져 있습니다. 교과에서 선정한 어휘를 주제별로 묶어, 주제를 중심으로 어휘를 학습하면서 자연스러운 교과 학습뿐 아니라 교과목을 넘나드는 융합적인 어휘력을 기를 수 있습니다.

 다양한 어휘 활동으로 어휘력을 향상시켜 줍니다.

무작정 외우는 학습법으로는 어휘를 다양하게 활용할 수 없습니다. 〈1일 10분 초등 메가 어휘력〉은 어휘와 어휘 사이의 관계를 파악하고 다양한 쓰임새를 학습하도록 구성하였습니다. 학습 어휘를 바탕으로 연상 어휘, 유의어, 반의어, 한자어, 상위어, 하위어, 속담, 관용구, 사자성어 등 다양한 문제를 제공하여 어휘력을 향상시키는 동시에 사고력도 키워 줍니다.

 자기 주도적인 공부 습관을 길러 줍니다.

아이 스스로 공부할 수 있도록 이끌어 주려면 아이가 소화할 수 있는 학습량을 제시해 주어야 합니다. 〈1일 10분 초등 메가 어휘력〉은 1일 4쪽 분량으로 아이 혼자서도 부담 없이 재미있게 공부할 수 있도록 구성되어 있습니다. 어휘 그물을 채우고 문제를 푸는 반복적인 과정을 통해 어휘를 익히고, 스스로 어휘 그물을 그려 보며 자기 주도적인 공부 습관을 기를 수 있게 도와줍니다.

이 책의 구성

어휘 미리보기

본격적으로 학습하기 전에 주별 학습 어휘 주제를 미리 살펴봅니다. 아는 어휘와 모르는 어휘가 각각 얼마나 되는지 체크합니다.

어휘 그물

어휘의 설명을 읽고, 마인드맵 형식으로 표현한 어휘 그물의 빈칸을 채우며 주제별 어휘를 학습합니다. 어휘 그물의 학습 어휘는 생활과 밀접한 생활 어휘와 초등학교 교과에서 주요하게 다루는 어휘로 선정하였습니다.

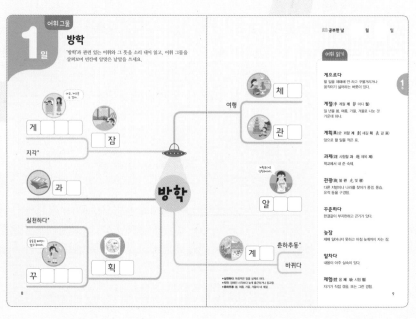

어휘 학습

문장 속에서 어휘를 활용한 문제, 어휘의 뜻을 명확하게 인지하는 문제로 확실하게 어휘를 익힙니다. 학습 어휘를 중심으로 연상 어휘, 비슷한말, 반대말, 포함하는 말, 포함되는 말을 배우며 어휘 간의 관계를 파악하고 어휘의 범위를 확장시킵니다. 속담, 사자성어, 관용구에 대해서도 알아봅니다.

어휘 복습

1~4일에서 학습한 어휘를 교과별로 분류하여 문제를 풀어 봅니다. 앞에서 배운 어휘의 뜻을 제대로 이해했는지 복습하고, 교과별로 새로 나온 어휘도 익혀 봅니다. 동시, 일기 형태의 다양한 글을 읽으며 앞에서 학습한 어휘를 익혀 봅니다.

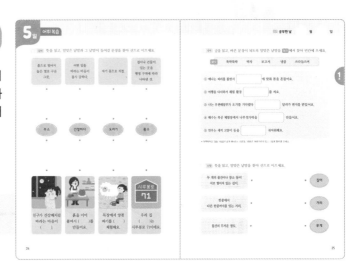

어휘 놀이 + 내가 만드는 어휘 그물

빈 곳에 들어갈 낱말 찾기, 숨어 있는 그림 찾기, 낱말 퍼즐, 빙고 등의 재미있는 놀이로 학습 어휘를 확인합니다. 관심 있는 주제와 관련 어휘들을 자유롭게 적어 나만의 어휘 그물도 만들어 봅니다.

1주

이번 주에 공부할 어휘들이에요.
어휘를 살펴보고,
알고 있는 어휘에 ✔를 하세요.
공부할 날짜를 쓰며
학습 계획도 세워 보세요.

1일 방학

📖 공부할 날 ⬤ 월 ⬤ 일

- ☐ 게으르다
- ☐ 계절
- ☐ 계획표
- ☐ 과제
- ☐ 관광
- ☐ 꾸준하다
- ☐ 늦잠
- ☐ 알차다
- ☐ 체험

2일 편지

📖 공부할 날 ⬤ 월 ⬤ 일

- ☐ 간절하다
- ☐ 그립다
- ☐ 느낌표
- ☐ 마음
- ☐ 봉투
- ☐ 부치다
- ☐ 소식
- ☐ 우체통
- ☐ 큰따옴표

3일 공연

📖 공부할 날   월   일

- ☐ 감탄하다
- ☐ 공공 예절
- ☐ 관객
- ☐ 무대
- ☐ 무용
- ☐ 박자
- ☐ 연극
- ☐ 영화
- ☐ 예술

4일 체험

📖 공부할 날   월   일

- ☐ 경험
- ☐ 모이다
- ☐ 몸소
- ☐ 보고서
- ☐ 봉사
- ☐ 수목원
- ☐ 자연
- ☐ 학습하다
- ☐ 현장 학습

5일 어휘 복습

📖 공부할 날   월   일

 아는 어휘   개 /   모르는 어휘   개

1일

방학

'방학'과 관련 있는 어휘와 그 뜻을 소리 내어 읽고, 어휘 그물을 살펴보며 빈칸에 알맞은 낱말을 쓰세요.

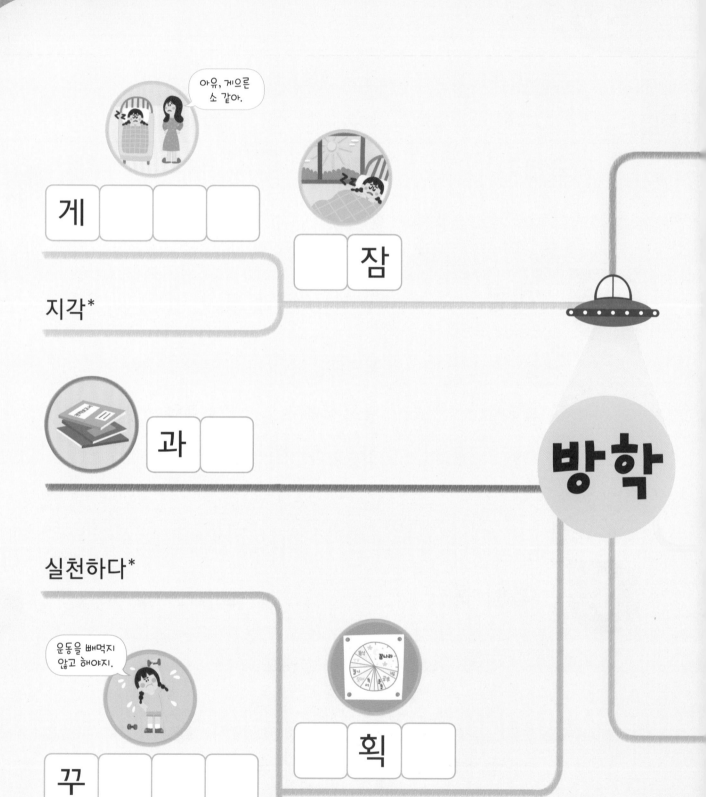

체 ⬜

여행

관 ⬜ ⬜

계획표대로
실천해야지.

알 ⬜ ⬜

계 ⬜

춘하추동*

바뀌다

*실천하다: 마음먹은 일을 실제로 하다.
*지각: 정해진 시각보다 늦게 출근하거나 등교함.
*춘하추동: 봄, 여름, 가을, 겨울의 네 계절.

어휘 읽기

1주

게으르다
할 일을 제때에 안 하고 꾸물거리거나
움직이기 싫어하는 버릇이 있다.

계절(季 계절 **계**　節 마디 **절**)
일 년을 봄, 여름, 가을, 겨울로 나눈 것
가운데 하나.

계획표(計 꾀할 **계**　劃 새길 **획**　表 겉 **표**)
앞으로 할 일을 적은 표.

과제(課 시험할 **과**　題 제목 **제**)
학교에서 내 준 숙제.

관광(觀 볼 **관**　光 빛 **광**)
다른 지방이나 나라를 찾아가 풍경, 풍습,
유적 등을 구경함.

꾸준하다
한결같이 부지런하고 끈기가 있다.

늦잠
제때 일어나지 못하고 아침 늦게까지 자는 잠.

알차다
내용이 아주 실속이 있다.

체험(體 몸 **체**　驗 시험 **험**)
자기가 직접 겪음. 또는 그런 경험.

9

✎ 뜻을 읽고, 알맞은 낱말을 찾아 선으로 이으세요.

앞으로 할 일을 적은 표. •	• 계획표
한결같이 부지런하고 끈기가 있다. •	• 꾸준하다
내용이 아주 실속이 있다. •	• 관광
다른 지방이나 나라를 찾아가 풍경, 풍습, 유적 등을 구경함. •	• 알차다

✎ 글을 읽고, 바른 문장이 되도록 알맞은 낱말을 보기 에서 찾아 빈칸에 쓰세요.

보기   게으른   체험   과제   늦잠   계절

① 어젯밤 늦게 자는 바람에 [   ]을 잤어요.

② 방학이 되자, 현빈이는 늦잠을 자는 [   ] 아이가 되었어요.

③ 선생님이 특별한 [   ]를 내 주셨어요.

④ 가을은 식물이 열매를 맺는 [   ]이에요.

⑤ 도자기 박물관에서 도자기 만들기 [   ]을 해요.

연상 어휘

✍ 그림을 보고, 떠오르는 낱말을 보기 에서 찾아 빈칸에 쓰세요.

보기   나들이   주말

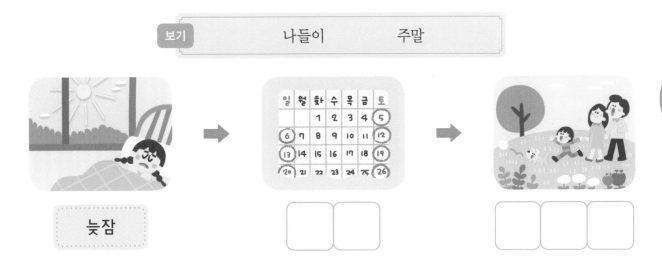

늦잠

반의어

✍ 낱말을 읽고, 반대말을 찾아 선으로 이으세요.

게으르다 •   • 비다

알차다 •   • 부지런하다

관용구

✍ 만화를 보고, 상황에 어울리는 말이 되도록 흐린 글자를 따라 쓰세요.

올해는 일찍 추워진대요.

그래서 계절을 앞당겨 김장을 하는군.

계절 을
앞당기다

▶ 관용구 '계절을 앞당기다'는 '그 계절에 해야 할 일을 먼저 앞당겨 빨리 해 나간다'는 뜻이에요.

스스로 평가   😄 🙂 🙁

2일

편지

'편지'와 관련 있는 어휘와 그 뜻을 소리 내어 읽고, 어휘 그물을 살펴보며 빈칸에 알맞은 낱말을 쓰세요.

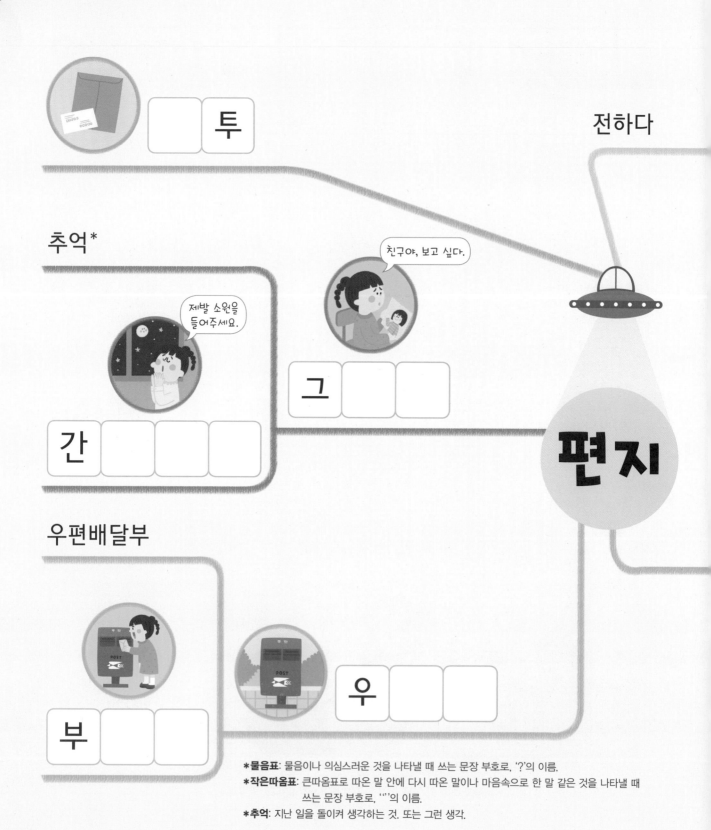

전하다

추억*

친구야, 보고 싶다.

제발 소원을 들어주세요.

□ 투

그 □ □ □

간 □ □ □

우편배달부

부 □ □

우 □ □

*물음표: 물음이나 의심스러운 것을 나타낼 때 쓰는 문장 부호로, '?'의 이름.
*작은따옴표: 큰따옴표로 따온 말 안에 다시 따온 말이나 마음속으로 한 말 같은 것을 나타낼 때 쓰는 문장 부호로, ''''의 이름.
*추억: 지난 일을 돌이켜 생각하는 것. 또는 그런 생각.

어휘 읽기

편지에 우리 가족 소식을 써 보내야지.

소□

친구를 사랑하는 마음.

마□

물음표*

!

느□□

문장   작은따옴표*

" "

큰□□□

간절(懇 간절할 **간** 切 끊을 **절**)**하다**
어떤 일을 바라는 마음이 몹시 강하다.

그립다
몹시 보고 싶다.

느낌표(標 표 **표**)
놀라거나 감탄을 나타낼 때 쓰는
문장 부호로, '!'의 이름.

마음
속으로 품고 있는 생각이나 느낌.

봉투(封 봉할 **봉** 套 덮개 **투**)
편지 같은 것을 넣는 종이 주머니.

부치다
편지나 물건, 돈 등을 남한테 보내다.

소식(消 꺼질 **소** 息 숨쉴 **식**)
멀리 떨어져 있는 사람의 사정을 알리는
말이나 글.

우체통(郵 우편 **우** 遞 갈마들 **체** 筒 통 **통**)
우편물을 넣는 빨간색 통.

큰따옴표(標 표 **표**)
대화를 나타내거나 글 속에서 남의 말을
따올 때 쓰는 문장 부호로, '" "'의 이름.

13

✏️ 뜻을 읽고, 알맞은 낱말을 보기 에서 찾아 빈칸에 쓰세요.

보기   느낌표   봉투   간절하다   마음   큰따옴표

① 속으로 품고 있는 생각이나 느낌. ·················· [　　　]

② 놀라거나 감탄을 나타낼 때 쓰는 문장 부호로, '!'의 이름. ··········· [　　　]

③ 편지 같은 것을 넣는 종이 주머니. ·················· [　　　]

④ 어떤 일을 바라는 마음이 몹시 강하다. ············ [　　　]

⑤ 대화를 나타내거나 글 속에서 남의 말을 따올 때 ·············· [　　　]
　　쓰는 문장 부호로, '""'의 이름.

✏️ 글을 읽고, (　) 안에 들어갈 알맞은 낱말을 찾아 선으로 이으세요.

우체국에 가서 편지를
(　　). •   • 소식

이사 간 친구의
(　　)이 무척 궁금해요. •   • 그리워서

문방구 앞에
빨간 (　　)이 있어요. •   • 우체통

친구가 (　　)
눈물이 났어요. •   • 부쳐요

14

연상 어휘

✍️ 그림을 보고, 떠오르는 낱말을 보기 에서 찾아 빈칸에 쓰세요.

보기 　　　고향　　　시골

그립다

유의어

✍️ 낱말을 읽고, 비슷한말을 찾아 선으로 이으세요.

부치다 •　　　　　　　　　• 봉지

봉투 •　　　　　　　　　• 보내다

속담

✍️ 만화를 보고, 상황에 어울리는 속담이 되도록 흐린 글자를 따라 쓰세요.

꿩 구워 먹은

소식

▶ 속담 '꿩 구워 먹은 소식'은 '소식이 없다'는 뜻이에요.

스스로
평가　😄 🙂 😞

15

3일

공연

'공연'과 관련 있는 어휘와 그 뜻을 소리 내어 읽고, 어휘 그물을
살펴보며 빈칸에 알맞은 낱말을 쓰세요.

 ☐ 대

 관 ☐

공연장*

 공공 예절을 지켜야지! 공 ☐ ☐ ☐

공연

관람하다*

 감 ☐ ☐ ☐

*공연장: 공연하는 곳.
*관람하다: 공연, 영화, 그림, 경기 같은 것을 구경하다.
*연주: 악기를 다루어 곡을 표현하거나 들려주는 일.

16

이게 바로 예술이야!

영　□

□　술　무　□

연　□

악기

연주＊

박자를 맞춥시다!

박　□

어휘 읽기

감탄(感 느낄 **감**　歎 탄식할 **탄**)**하다**
마음 깊이 감동하고 칭찬하다.

공공 예절(公 공변될 **공**　共 함께 **공**
禮 예도 **예**　節 마디 **절**)
사람들이 함께 쓰거나 함께 얽힌 일에서,
남을 대하거나 어떤 일을 할 때
갖추어야 할 바른 태도와 절차.

관객(觀 볼 **관**　客 손님 **객**)
공연, 영화, 운동 경기 같은 것을 보거나
듣는 사람.

무대(舞 춤출 **무**　臺 돈대 **대**)
춤, 연극, 노래 등을 하려고 관람석 앞에
조금 높게 마련한 넓은 자리.

무용(舞 춤출 **무**　踊 뛸 **용**)
느낌이나 생각을 음악에 맞추어 몸짓으로
나타내는 예술.

박자(拍 손뼉칠 **박**　子 아들 **자**)
음악에서 센 소리와 여린 소리가 일정한 사이를
두고 되풀이되는 것.

연극(演 펼 **연**　劇 연극 **극**)
배우가 말과 몸짓으로 대본에 있는 이야기를
관객에게 전하는 예술.

영화(映 비출 **영**　畵 그림 **화**)
움직이는 사물의 모습을 필름에 담아 영사기로
비추어 나타내는 예술이나 그런 예술 작품.

예술(藝 재주 **예**　術 재주 **술**)
생각하고 느낀 것을 글, 그림, 소리, 몸짓
등으로 아름답게 나타내는 일.

✏️ 뜻을 읽고, 알맞은 낱말을 찾아 선으로 이으세요.

배우가 말과 몸짓으로 대본에 있는 이야기를 관객에게 전하는 예술.　　•

춤, 연극, 노래 등을 하려고 관람석 앞에 조금 높게 마련한 넓은 자리.　　•

음악에서 센 소리와 여린 소리가 일정한 사이를 두고 되풀이되는 것.　　•

생각하고 느낀 것을 글, 그림, 소리, 몸짓 등으로 아름답게 나타내는 일.　　•

•　 연극

•　 박자

•　 무대

•　예술

✏️ 글을 읽고, 바른 문장이 되도록 알맞은 낱말을 보기에서 찾아 빈칸에 쓰세요.

| 보기 | 관객 | 무용 | 영화 | 공공 예절 | 감탄하며 |

① 연주회가 끝나자 사람들이 모두 ＿＿＿＿＿＿ 박수를 쳐요.

② 나래네 반 친구들은 ＿＿＿＿＿＿을 잘 지키며 공연을 봐요.

③ 형이랑 애니메이션 ＿＿＿＿＿＿를 보러 갈 거예요.

④ 예린이는 춤추는 걸 좋아해서 ＿＿＿＿＿＿ 학원에 열심히 다녀요.

⑤ 주말이라서 극장 안이 ＿＿＿＿＿＿으로 가득 찼어요.

연상 어휘

✎ 그림을 보고, 떠오르는 낱말을 보기 에서 찾아 빈칸에 쓰세요.

보기   깜깜하다   극장

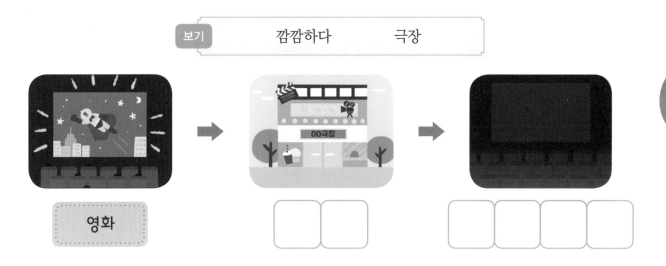

영화

유의어

✎ 낱말을 읽고, 비슷한말을 찾아 선으로 이으세요.

박자 •   • 춤

무용 •   • 리듬

속담

✎ 만화를 보고, 상황에 어울리는 속담이 되도록 흐린 글자를 따라 쓰세요.

와, 멋지다! 이 그림을 그린 화가는 살아 있을까?

화가는 세상을 떠났지만 작품은 오래 남아 있어.

인생은 짧고 예술 은 길다

▶속담 '인생은 짧고 예술은 길다'는 '인생은 백 년을 넘기기 어려우나 한번 남긴 예술은 영원히 그 가치를 빛낸다'는 뜻이에요.

스스로 평가 😄 ☺ 🙁

4일

체험

'체험'과 관련 있는 어휘와 그 뜻을 소리 내어 읽고, 어휘 그물을 살펴보며 빈칸에 알맞은 낱말을 쓰세요.

| | 연 | |

| 모 | | |

| 수 | | |

장소

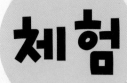

체 험

생생하다

| 학 | | | |

| 현 | | | |

1주

활동*

［　］사

견학*

보［　］［　］

쓰레기 줍는 걸 직접
실천하니까 뿌듯해.

몸［　］

겪다

실제로 겪어 보니까
정말 으스스해.

경［　］

*견학: 직접 가서 보고 배우는 것.
*활동: 몸을 움직여 행동함.

경험(經 지날 **경**　驗 시험 **험**)
자신이 실제로 해 보거나 겪어 봄.
또는 거기서 얻은 지식이나 기능.

모이다
여럿이 한곳에 오다.
또는 여럿이 한데 합쳐지다.

몸소
자기 몸으로 직접.

보고서(報 알릴 **보**　告 알릴 **고**　書 글 **서**)
일에 대한 내용이나 결과를 쓴 글이나 문서.

봉사(奉 받들 **봉**　仕 섬길 **사**)
자기 이익을 생각하지 않고 남을 위하여
일하는 것.

수목원(樹 나무 **수**　木 나무 **목**　園 동산 **원**)
나무를 많이 심고 가꾸는 곳. 나무를
잘 기르는 법을 연구하고, 사람들에게
나무를 구경시켜 주기도 하는 곳.

자연(自 스스로 **자**　然 그럴 **연**)
산, 들, 계곡처럼 저절로 생긴 환경.

학습(學 배울 **학**　習 익힐 **습**)**하다**
지식이나 기술 등을 배워서 익히다.

현장 학습(現 나타날 **현**　場 마당 **장**
學 배울 **학**　習 익힐 **습**)
학습에 필요한 자료가 있는 현장에
직접 찾아가서 하는 학습.

21

✎ 뜻을 읽고, 알맞은 낱말을 보기 에서 찾아 빈칸에 쓰세요.

보기	자연	현장 학습	모이다	봉사	몸소

① 학습에 필요한 자료가 있는 현장에 직접 찾아가서 하는 학습. ⋯⋯⋯

② 자기 몸으로 직접. ⋯⋯⋯⋯⋯⋯⋯⋯⋯⋯⋯⋯⋯⋯⋯⋯

③ 산, 들, 계곡처럼 저절로 생긴 환경. ⋯⋯⋯⋯⋯⋯⋯⋯

④ 여럿이 한곳에 오다. 또는 여럿이 한데 합쳐지다. ⋯⋯⋯

⑤ 자기 이익을 생각하지 않고 남을 위하여 일하는 것. ⋯⋯⋯

✎ 글을 읽고, (　) 안에 들어갈 알맞은 낱말을 찾아 선으로 이으세요.

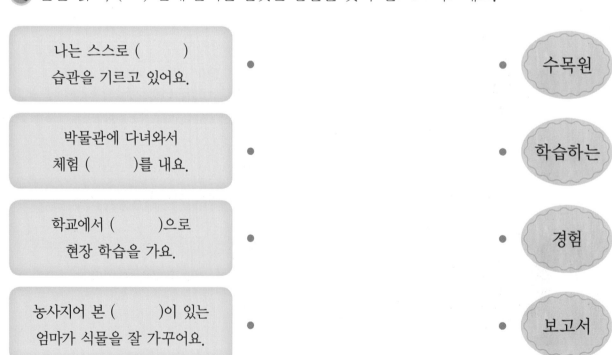

나는 스스로 (　　　)
습관을 기르고 있어요.　　　•

박물관에 다녀와서
체험 (　　　)를 내요.　　　•

학교에서 (　　　)으로
현장 학습을 가요.　　　•

농사지어 본 (　　　)이 있는
엄마가 식물을 잘 가꾸어요.　　　•

•　수목원

•　학습하는

•　경험

•　보고서

한자어

✎ '서(書)'와 '원(園)'의 뜻을 읽고, 알맞은 낱말을 보기 에서 찾아 빈칸에 쓰세요.

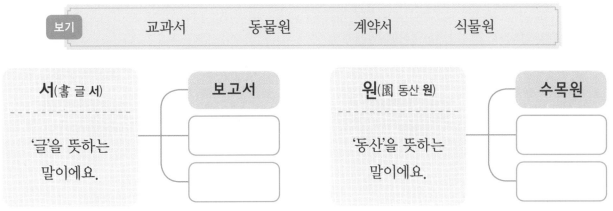

보기   교과서   동물원   계약서   식물원

서(書 글 서)
'글'을 뜻하는 말이에요.
┌ 보고서
├
└

원(園 동산 원)
'동산'을 뜻하는 말이에요.
┌ 수목원
├
└

* '계약서'는 '계약한 내용을 적은 문서'를 뜻해요.

유의어

✎ 낱말을 읽고, 비슷한말을 찾아 선으로 이으세요.

몸소 •

학습하다 •

• 공부하다

• 직접

속담

✎ 만화를 보고, 상황에 어울리는 속담이 되도록 흐린 글자를 따라 쓰세요.

젊어서 시작한 공부의 길이 끝이 없구먼.

공부 는 늙어 죽을 때까지 해도 다 못한다

▶ 속담 '공부는 늙어 죽을 때까지 해도 다 못한다'는 '지식을 넓히고 수준을 높이기 위해서는 일생 동안 끊임없이 배우고 학습해야 한다'는 뜻이에요.

스스로 평가 😄 ☺ ☹

📖 국어 뜻을 읽고, 알맞은 낱말과 그 낱말이 들어갈 문장을 찾아 선으로 이으세요.

| 흙으로 빚어서 높은 열로 구운 그릇. | 어떤 일을 바라는 마음이 몹시 강하다. | 자기 몸으로 직접. | 집이나 건물이 있는 곳을 행정 구역에 따라 나타낸 것. |

주소　　간절하다　　도자기　　몸소

친구가 건강해지길 바라는 마음이 (　　).

흙을 이어 붙여서 (　　)를 만들어요.

목장에서 양젖 짜기를 (　　) 체험해요.

우리 집 (　　)는 시루봉로 71이에요.

国 국어 글을 읽고, 바른 문장이 되도록 알맞은 낱말을 [보기]에서 찾아 빈칸에 쓰세요.

[보기]　　뚝딱뚝딱　　박자　　보고서　　냉큼　　쓰다듬으며

1주

① 예나는 피리를 불면서 [　　　　　]에 맞춰 몸을 흔들어요.

② 여행을 다녀와서 체험 활동 [　　　　　]를 써요.

③ 나는 우편배달부가 오기를 기다렸다 [　　　　　] 달려가 편지를 받았어요.

④ 해수는 목공 체험장에서 나무젓가락을 [　　　　　] 만들어요.

⑤ 연우는 새끼 고양이 등을 [　　　　　] 귀여워해요.

＊ '뚝딱뚝딱'은 '일을 거침없이 쉽게 해치우는 모양'을, '냉큼'은 '머뭇거리지 않고 가볍게 빨리'를 뜻해요.

国 수학 뜻을 읽고, 알맞은 낱말을 찾아 선으로 이으세요.

두 개의 물건이나 장소 등이
서로 떨어져 있는 길이. •

• 길이

한끝에서
다른 한끝까지를 잇는 거리. •

• 거리

물건의 무거운 정도. •

• 무게

📖 통합교과 뜻을 읽고, 알맞은 낱말을 보기 에서 찾아 빈칸에 쓰세요.

보기	봉사	조각	톱질	관광

① 다른 지방이나 나라를 찾아가 풍경, 풍습, 유적 등을 구경함. ⋯⋯⋯⋯

② 자기 이익을 생각하지 않고 남을 위하여 일하는 것. ⋯⋯⋯⋯⋯⋯

③ 돌이나 나무 등을 깎아서 사람, 동물, 물건 모양으로 만드는 것. ⋯⋯⋯

④ 톱으로 나무나 쇠 같은 것을 자르거나 켜는 일. ⋯⋯⋯⋯⋯⋯⋯

📖 통합교과 글을 읽고, ( ) 안에 똑같이 들어갈 낱말을 찾아 선으로 이으세요.

| 우리나라는 인터넷 ( )이 잘 발달되어 있어요. | 컴퓨터 ( )을 할 때도 예절을 지켜야 해요. | | 멀리 이사 간 친구의 ( )을 들었어요. | 지혜는 입양을 보낸 강아지의 ( )이 궁금해요. |

통신

소식

* '통신'은 '편지, 전화, 컴퓨터 등으로 소식이나 정보를 전하는 것'을 뜻해요.

Q 이야기를 읽고, 물음에 답하세요.

오늘 다민이네 반은 현장 학습으로 인형극을 보러 갔어요. 다민이는 늦잠을 자서 ? 시간에 늦을 뻔했어요. 인형극은 인형의 머리, 손, 발에 줄을 매달아 움직이는 것이었는데, 인형들이 어찌나 자연스럽게 움직이는지 모두들 감탄했어요. 주인공이 가족을 만나게 해 달라고 간절하게 비는 장면에서는 친구들이 울기도 했어요. 선생님께서 공공 예절을 잘 지키는 관객이라고 다민이네 반 아이들을 칭찬하셨어요. 그래서 돌아가는 지하철에서도 얌전하게 질서를 잘 지켰어요. 다민이는 다음에도 인형극을 보러 가고 싶었어요.

1. 뜻을 읽고, 알맞은 낱말을 글 속의 빨간색 낱말 중에서 찾아 빈칸에 쓰세요.

① 학습에 필요한 자료가 있는 현장에 직접 찾아가서 하는 학습. ······

② 제때 일어나지 못하고 아침 늦게까지 자는 잠. ·····

③ 사람들이 함께 쓰거나 함께 얽힌 일에서, 남을 대하거나 어떤 일을 할 때 갖추어야 할 바른 태도와 절차.

2. 글 속의 ? 안에 알맞은 낱말을 찾아 ◯ 하세요.

| 깨끗한 | 말하는 | 모이는 |

알쏭달쏭 그림 찾기

💡 아래에서 설명하는 낱말을 모두 찾아 좋아하는 색으로 칠하세요.

① 나무를 많이 심고 가꾸는 곳. 나무를 잘 기르는 법을 연구하고, 사람들에게 나무를 구경시켜 주기도 하는 곳.

② 공연, 영화, 운동 경기 같은 것을 보거나 듣는 사람.

③ 한결같이 부지런하고 끈기가 있다.

④ 내용이 아주 실속이 있다.

⑤ 자신이 실제로 해 보거나 겪어 봄. 또는 거기서 얻은 지식이나 기능.

⑥ 편지나 물건, 돈 등을 남한테 보내다.

⑦ 지식이나 기술 등을 배워서 익히다.

⑧ 움직이는 사물 모습을 필름에 담아 영사기로 비추어 나타내는 예술. 또는 그런 예술 작품.

⑨ 생각하고 느낀 것을 글, 그림, 소리, 몸짓 등으로 아름답게 나타내는 일.

⑩ 제때 일어나지 못하고 아침 늦게까지 자는 잠.

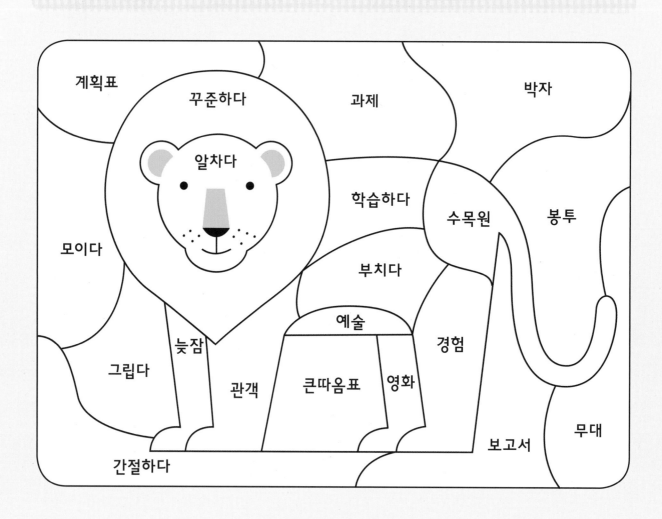

관심 있는 주제를 가운데 동그라미에 쓰고, 어휘들을
자유롭게 적으며 나만의 어휘 그물을 만들어 보세요.

내가 만드는
어휘 그물

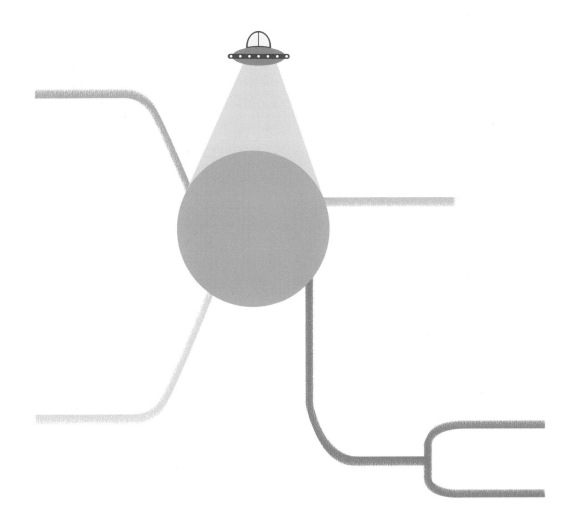

2주

이번 주에 공부할 어휘들이에요.
어휘를 살펴보고,
알고 있는 어휘에 ✔를 하세요.
공부할 날짜를 쓰며
학습 계획도 세워 보세요.

1일 도서관

📖 공부할 날 ⬤ 월 ⬤ 일

- ☐ 대출하다
- ☐ 도서
- ☐ 독서
- ☐ 반납하다
- ☐ 분야
- ☐ 사서
- ☐ 위인전
- ☐ 열람실
- ☐ 침묵

2일 박물관

📖 공부할 날 ⬤ 월 ⬤ 일

- ☐ 기록하다
- ☐ 등잔불
- ☐ 맷돌
- ☐ 멍석
- ☐ 모형
- ☐ 민속품
- ☐ 발굴하다
- ☐ 설명하다
- ☐ 역사

3일 **자동차**　　　📖 공부할 날 　월 　일

- ☐ 가스
- ☐ 고속 도로
- ☐ 대기 오염
- ☐ 멈추다
- ☐ 안전띠
- ☐ 안전 운전
- ☐ 연료
- ☐ 주유소
- ☐ 충전소

4일 **공룡**　　　📖 공부할 날 　월 　일

- ☐ 거대하다
- ☐ 날카롭다
- ☐ 노려보다
- ☐ 멸종하다
- ☐ 사납다
- ☐ 사냥
- ☐ 순하다
- ☐ 움푹움푹
- ☐ 흔적

5일 **어휘 복습**　　　📖 공부할 날 　월 　일

 아는 어휘 　　　개 / 모르는 어휘 　　　개

도서관

'도서관'과 관련 있는 어휘와 그 뜻을 소리 내어 읽고, 어휘 그물을 살펴보며 빈칸에 알맞은 낱말을 쓰세요.

도서관에는 책이 분야별로 잘 나뉘어 있어.

분 ⬜

책꽂이

꽂다

⬜ 람 ⬜

쉿! 조용히

침 ⬜

독 ⬜

열람하다*

반 ⬜ ⬜ ⬜

도서관

⬜ 서

대 ⬜ ⬜ ⬜

2
주

위 ☐ ☐

도 ☐

만화책

그림책

인터넷

정보   정확하다

자료*

대출(貸 빌릴 **대** 出 날 **출**)**하다**
돈이나 물건 등을 빌려주거나 빌리다.

도서(圖 그림 **도** 書 글 **서**)
어떤 생각, 감정, 지식 등을 담은 글이나
그림으로 인쇄하여 묶어 놓은 것.

독서(讀 읽을 **독** 書 글 **서**)
책을 읽는 것.

반납(返 돌아올 **반** 納 들일 **납**)**하다**
빌린 것을 도로 돌려주다.

분야(分 나눌 **분** 野 들 **야**)
여러 갈래로 나누어진 범위나 부분.

사서(司 맡을 **사** 書 글 **서**)
도서관에서 전문적으로 책을 관리하는 사람.

위인전(偉 훌륭할 **위** 人 사람 **인** 傳 전할 **전**)
뛰어나고 훌륭한 사람의 업적과 삶을 적은
글이나 책.

열람실(閱 볼 **열** 覽 볼람 **室** 집 **실**)
도서관 같은 곳에서 책 등을 훑어보거나
조사하면서 보는 방.

침묵(沈 잠길 **침** 默 잠잠할 **묵**)
아무 말 없이 가만히 있는 것.

***열람하다**: 책이나 문서 등을 죽 훑어보거나 조사하면서 보다.
***자료**: 글, 사진처럼 어떤 일에 쓰이는 재료.

33

✏️ 뜻을 읽고, 알맞은 낱말을 찾아 선으로 이으세요.

아무 말 없이 가만히 있는 것. ●	● 열람실
뛰어나고 훌륭한 사람의 업적과 삶을 적은 글이나 책. ●	● 위인전
도서관 같은 곳에서 책 등을 훑어보거나 조사하면서 보는 방. ●	● 분야
여러 갈래로 나누어진 범위나 부분. ●	● 침묵

✏️ 글을 읽고, 바른 문장이 되도록 알맞은 낱말을 보기 에서 찾아 빈칸에 쓰세요.

보기   독서   대출하려고   도서   반납할   사서

① 나는 우리 반에서 [   ] 를 가장 많이 해서 상을 받았어요.

② 도서관에는 정보를 얻을 수 있는 다양한 [   ] 가 많아요.

③ 도서관에서 [   ] 선생님께 책을 찾아 달라고 부탁해요.

④ 여행을 다녀오는 바람에 책을 [   ] 날짜가 지났어요.

⑤ 숙제할 때 필요한 책을 도서관에서 [   ] 해요.

연상 어휘

✎ 그림을 보고, 떠오르는 낱말을 보기 에서 찾아 빈칸에 쓰세요.

보기   읽다   책

열람실

유의어

✎ 낱말을 읽고, 비슷한말을 찾아 선으로 이으세요.

도서 •

분야 •

• 영역

• 책

사자성어

✎ 만화를 보고, 상황에 맞는 말이 되도록 ? 안에 알맞은 흐린 글자를 따라 쓰세요.

재밌다!

흐흐, ? 에 빠졌구나!

독서삼매

▶ 사자성어 '독서삼매'는 '아무 생각 없이 오직 책 읽기에만 집중하고 있는 상태'라는 뜻으로, 책 읽기에 완전히 빠져 있는 모습을 나타내요.

스스로 평가   😄 🙂 😞

35

2일

박물관

'박물관'과 관련 있는 어휘와 그 뜻을 소리 내어 읽고, 어휘 그물을 살펴보며 빈칸에 알맞은 낱말을 쓰세요.

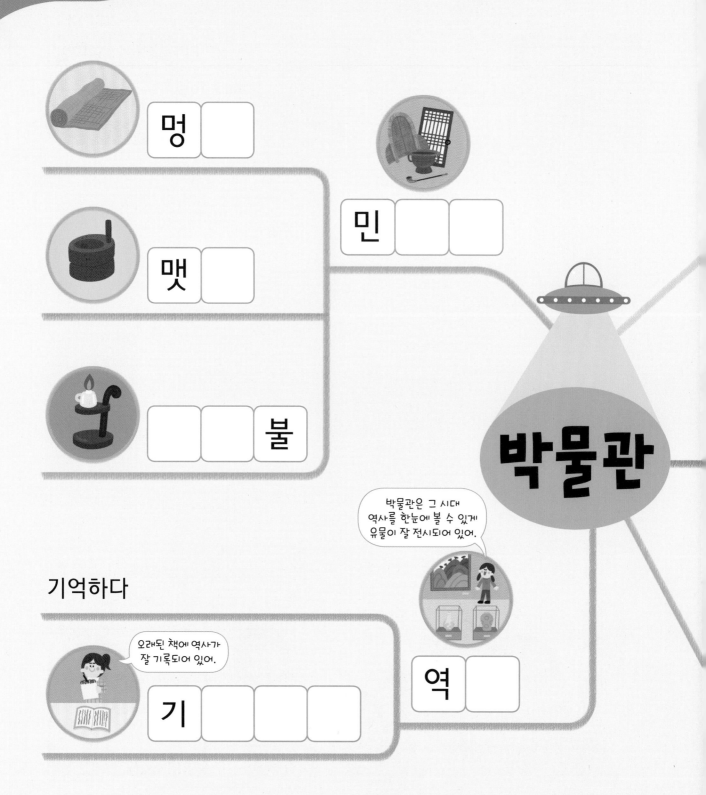

멍 [ ]

맷 [ ]

[ ] [ ] 불

민 [ ] [ ]

박물관

박물관은 그 시대 역사를 한눈에 볼 수 있게 유물이 잘 전시되어 있어.

기억하다

오래된 책에 역사가 잘 기록되어 있어.

기 [ ] [ ] [ ]

역 [ ]

*본뜨다: 이미 있는 물건을 본보기로 하여 그대로 흉내 내어 만들다.
*안내판: 어떤 내용을 소개하거나 사정 등을 알리는 판.
*유물: 과거의 조상들이 다음 세대의 사람들에게 남긴 물건.

발 ☐ ☐ ☐

유물*

오래되다

☐ 형

본뜨다*

만들다

설 ☐ ☐ ☐

안내판*

자세하다

기록(記 기록할 **기** 錄 기록할 **록**)**하다**
주로 뒷날에 남길 목적으로 어떤 사실을
적다.

등잔(燈 등잔 **등** 盞 등잔 **잔**)**불**
기름을 담아 등불을 켜는 데 쓰는 그릇인
등잔에 켠 불.

맷돌
돌로 만든 기구로 곡식을 가는 데 쓰임.

멍석
짚을 엮어 짠 돗자리로 곡식을 널어
말리는 데 쓰임.

모형(模 본뜰 **모** 型 모양 **형**)
어떤 것을 그대로 본떠서 만든 물건.

민속품(民 백성 **민** 俗 풍속 **속** 品 물건 **품**)
각 나라 지방의 생활과 풍속을 보여 주는
물품.

발굴(發 필 **발** 掘 파낼 **굴**)**하다**
땅속에 묻혀 있는 역사적 유물 등을 파내다.

설명(說 말씀 **설** 明 밝을 **명**)**하다**
어떤 것을 남이 잘 알아듣게 말하다.

역사(歷 지낼 **역** 史 역사 **사**)
나라나 민족, 한 사회가 처음 생겨나
오늘에 이르기까지 변하고 겪어 온 과정이나
그 과정을 적은 것.

✏️ 뜻을 읽고, 알맞은 낱말을 보기 에서 찾아 빈칸에 쓰세요.

보기   역사   민속품   기록하다   등잔불   설명하다

① 어떤 것을 남이 잘 알아듣게 말하다. ·································

② 기름을 담아 등불을 켜는 데 쓰는 그릇인 등잔에 켠 불. ··········

③ 나라나 민족, 한 사회가 처음 생겨나 오늘에 이르기까지
변하고 겪어 온 과정이나 그 과정을 적은 것. ·············

④ 각 나라 지방의 생활과 풍속을 보여 주는 물품. ················

⑤ 주로 뒷날에 남길 목적으로 어떤 사실을 적다. ···············

✏️ 글을 읽고, ( ) 안에 들어갈 알맞은 낱말을 찾아 선으로 이으세요.

아빠를 따라 유적을
( ) 현장에 가요.   모형

거북선 광장에서 거북선 ( )을 보고
진짜 거북선 같아 눈이 휘둥그레졌어요.   발굴하는

민속 박물관 마당에 깔린
( ) 위에서 제기차기를 해요.   맷돌

( )에 콩을 갈아서 만든
두부의 맛이 무척 고소해요.   멍석

✎ '불'과 '품(品)'의 뜻을 읽고, 알맞은 낱말을 보기 에서 찾아 빈칸에 쓰세요.

보기   장식품   호롱불   식료품   모닥불

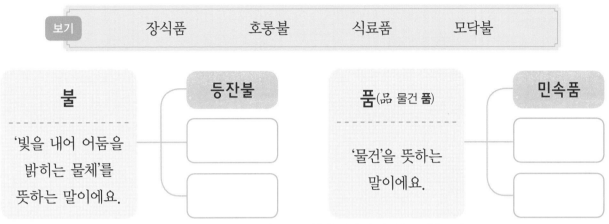

| 불 | 등잔불 |
| '빛을 내어 어둠을 밝히는 물체'를 뜻하는 말이에요. | |

| 품(品 물건 품) | 민속품 |
| '물건'을 뜻하는 말이에요. | |

*'호롱불'은 '석유를 담아 불을 켜는 데 쓰는 그릇인 호롱에 켠 불'을, '식료품'은 '음식의 재료가 되는 물건'을 뜻해요.

✎ 낱말을 읽고, 비슷한말을 찾아 선으로 이으세요.

설명하다 •   • 해설하다

기록하다 •   • 쓰다

✎ 만화를 보고, 상황에 어울리는 말이 되도록 흐린 글자를 따라 쓰세요.

친구들 앞에서 노래 실력을 자랑하고 싶어.

네 노래 실력을 맘껏 뽐내렴.

멍석 을 깔다

▶ 관용구 '멍석을 깔다'는 '하고 싶은 대로 할 기회를 주거나 마련하는 것'을 뜻해요.

스스로 평가 😄 🙂 😞

39

3일

자동차

'자동차'와 관련 있는 어휘와 그 뜻을 소리 내어 읽고, 어휘 그물을
살펴보며 빈칸에 알맞은 낱말을 쓰세요.

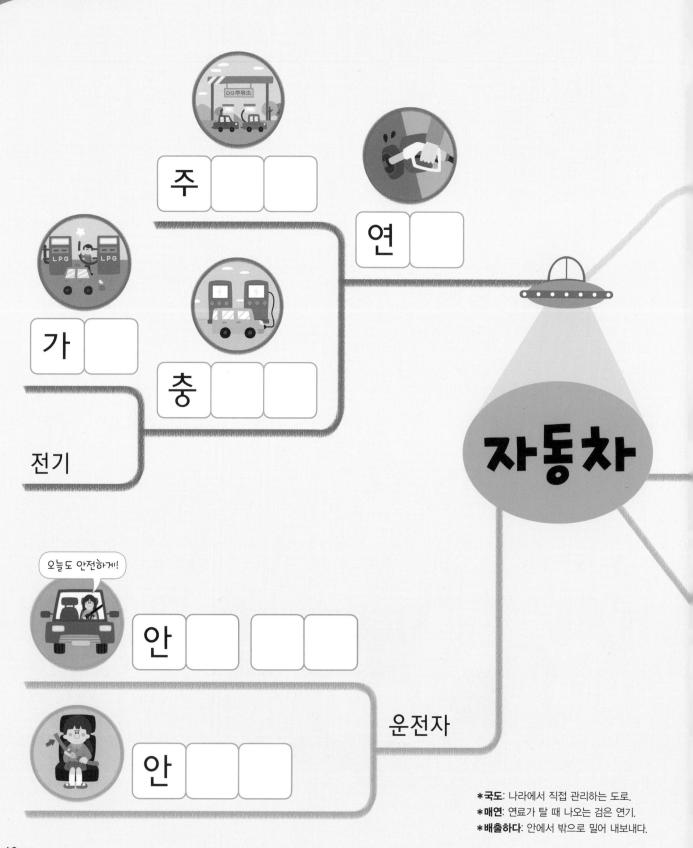

주 ☐ ☐

연 ☐

가 ☐

충 ☐ ☐

전기

자동차

안 ☐ ☐

안 ☐ ☐

운전자

*국도: 나라에서 직접 관리하는 도로.
*매연: 연료가 탈 때 나오는 검은 연기.
*배출하다: 안에서 밖으로 밀어 내보내다.

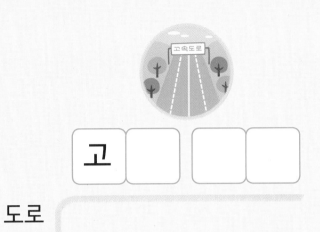

고 ☐ ☐ ☐

도로

국도*

멈 ☐ ☐

신호등

지키다

배출하다*

매연*

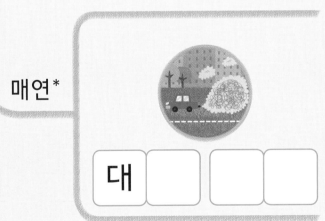

대 ☐ ☐ ☐

어휘 읽기

2주

가스
연료로 사용되는 기체.

고속 도로
(高 높을 고　速 빠를 속　道 길 도　路 길 로)
차를 빠르게 운전할 수 있게 만든 차만
다니는 길.

대기 오염(大 큰 대　氣 기운 기
汚 더러울 오　染 물들일 염)
공장 연기, 자동차 매연, 먼지, 가스 같은 것
때문에 공기가 더러워지는 현상.

멈추다
움직이던 것이 서다.

안전(安 편안할 안　全 온전할 전)**띠**
자동차나 비행기에서 사람의 몸을 안전하게
의자에 붙들어 매어 주는 띠.

안전 운전(安 편안할 안　全 온전할 전
運 운전할 운　轉 구를 전)
기계나 자동차 같은 것을 위험이 생기지 않도록
조심스럽게 움직이는 것.

연료(燃 탈 연　料 헤아릴 료)
태워서 열, 빛, 동력 같은 것을 얻을 수
있는 물질.

주유소(注 부을 주　油 기름 유　所 바 소)
돈을 내고 자동차나 오토바이 등에
기름을 넣는 곳.

충전소(充 채울 충　塡 메울 전　所 바 소)
돈을 내고 가스나 전기 등을 채우는 곳.

✎ 뜻을 읽고, 알맞은 낱말을 찾아 선으로 이으세요.

돈을 내고 가스나 전기 등을 채우는 곳.	•	•	가스
자동차나 비행기에서 사람의 몸을 안전하게 의자에 붙들어 매어 주는 띠.	•	•	안전띠
공장 연기, 자동차 매연, 먼지, 가스 같은 것 때문에 공기가 더러워지는 현상.	•	•	충전소
연료로 사용되는 기체.	•	•	대기 오염

✎ 글을 읽고, 바른 문장이 되도록 알맞은 낱말을 보기 에서 찾아 빈칸에 쓰세요.

보기　　고속 도로　　멈추는　　연료　　안전 운전　　주유소

① 버스가 갑자기 [   ] 바람에 사람들이 깜짝 놀라요.

② 자동차로 [   ] 를 달려서 외갓집에 도착했어요.

③ 요즘은 전기를 [   ] 로 사용하는 자동차가 많아요.

④ 아빠가 집 근처 [   ] 에 들러 자동차에 기름을 넣어요.

⑤ 우리 아빠와 엄마는 항상 [   ] 을 해요.

합성어 · 한자어

✎ '띠'와 '소(所)'의 뜻을 읽고, 알맞은 낱말을 보기 에서 찾아 빈칸에 쓰세요.

보기 　　　허리띠　　　보건소　　　어깨띠　　　연구소

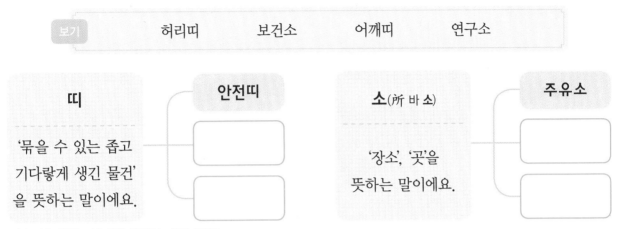

띠

'묶을 수 있는 좁고 기다랗게 생긴 물건'을 뜻하는 말이에요.

안전띠

소(所 바 소)

'장소', '곳'을 뜻하는 말이에요.

주유소

＊'연구소'는 '학문, 기술 등을 연구하는 곳'을 뜻해요.

반의어

✎ 낱말을 읽고, 반대말을 찾아 선으로 이으세요.

멈추다　·　　　　　　·　불안

안전　·　　　　　　·　계속하다

관용구

✎ 만화를 보고, 상황에 어울리는 말이 되도록 흐린 글자를 따라 쓰세요.

잠깐 쉬면서 간식 드세요.

손을

멈추다

▶ 관용구 '손을 멈추다'는 '하던 동작을 잠깐 그만두다'는 뜻이에요.

스스로 평가　😄 ☺ ☹

4일

공룡

'공룡'과 관련 있는 어휘와 그 뜻을 소리 내어 읽고, 어휘 그물을 살펴보며 빈칸에 알맞은 낱말을 쓰세요.

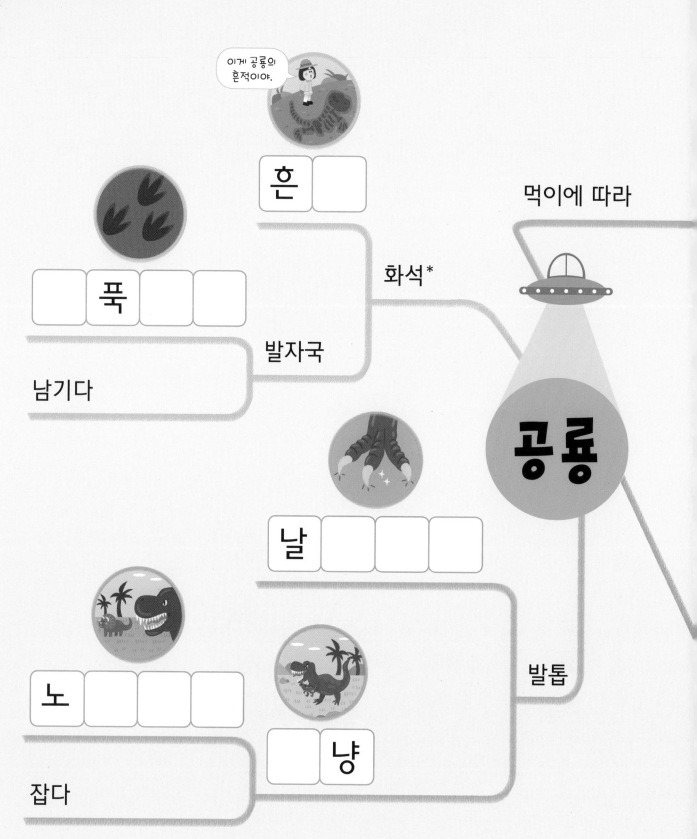

이게 공룡의 흔적이야.

흔 ☐

먹이에 따라

화석*

☐ 푹 ☐ ☐

발자국

남기다

공룡

날 ☐ ☐ ☐

노 ☐ ☐ ☐

☐ 냥

발톱

잡다

44

육식 공룡*

사 □ □

거칠다

거 □ □ □

초식 공룡*

순 □ □

공룡은 다 죽어서 없어졌어.

멸 □ □ □

*육식 공룡: 동물의 고기를 먹고 사는 공룡.
*초식 공룡: 식물을 주로 먹고 사는 공룡.
*화석: 옛날에 살았던 동물이나 식물이 땅속에 묻혀 돌처럼 굳은 것.

어휘 읽기

2
주

거대(巨 클 거 大 큰 대)하다
엄청나게 크다.

날카롭다
끝이 뾰족하거나 날이 서 있다.

노려보다
잡거나 덮치려고 눈독을 들여 살피다.

멸종(滅 멸망할 멸 種 씨 종)하다
어떤 동물이나 식물이 모두 죽어서
깡그리 없어지다.

사납다
생김새, 성질, 행동 등이 거칠고 억세다.

사냥
힘센 동물이 약한 동물을 먹이로 잡는 일.

순(順 순할 순)하다
성질이나 태도가 부드럽다.

움푹움푹
여러 군데가 둥글게 푹 패어
깊이 들어간 모양.

흔적(痕 흉터 흔 迹 자취 적)
어떤 것이 있었거나 지나가고 난 뒤에
남은 자국.

45

✍ 뜻을 읽고, 알맞은 낱말을 보기에서 찾아 빈칸에 쓰세요.

| 보기 | 사냥 | 순하다 | 흔적 | 거대하다 | 멸종하다 |

① 힘센 동물이 약한 동물을 먹이로 잡는 일. ....

② 어떤 것이 있었거나 지나가고 난 뒤에 남은 자국. ....

③ 성질이나 태도가 부드럽다. ....

④ 엄청나게 크다. ....

⑤ 어떤 동물이나 식물이 모두 죽어서 깡그리 없어지다. ....

✍ 글을 읽고, ( ) 안에 들어갈 알맞은 낱말을 찾아 선으로 이으세요.

| 공룡이 ( ) 이빨을 드러내요. | ● | ● | 움푹움푹 |

| 덩치가 작은 공룡의 성질이 무척 ( ). | ● | ● | 사나워요 |

| 거대한 공룡이 지나가자 땅이 ( ) 패여요. | ● | ● | 노려보아요 |

| 공룡들이 서로 무섭게 ( ). | ● | ● | 날카로운 |

연상 어휘

✎ 그림을 보고, 떠오르는 낱말을 보기 에서 찾아 빈칸에 쓰세요.

보기   화석   공룡

멸종하다

반의어

✎ 낱말을 읽고, 반대말을 찾아 선으로 이으세요.

거대하다 •   • 작다

순하다 •   • 사납다

관용구

✎ 만화를 보고, 상황에 어울리는 말이 되도록 흐린 글자를 따라 쓰세요.

아니, 아직까지 물을 못 채운 거야?

으이그, 팥쥐 엄마랑 팥쥐는 참 못됐어.

심술이

사납다

▶관용구 '심술이 사납다'는 '마음이 나쁘고 모질다'는 뜻이에요.

스스로 평가 😄 🙂 😣

📖 국어 낱말을 읽고, 알맞은 뜻을 찾아 선으로 이으세요.

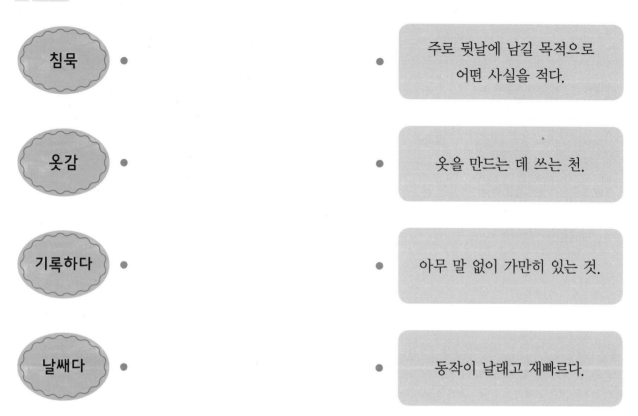

침묵 •

옷감 •

기록하다 •

날쌔다 •

• 주로 뒷날에 남길 목적으로 어떤 사실을 적다.

• 옷을 만드는 데 쓰는 천.

• 아무 말 없이 가만히 있는 것.

• 동작이 날래고 재빠르다.

📖 국어 글을 읽고, 바른 문장이 되도록 알맞은 낱말을 보기 에서 찾아 빈칸에 쓰세요.

보기	멸종해서	연료	성큼성큼	달려들어요

① 거인이 멀리 떨어진 나무를 향해서 [   ] 걸어가요.

② 작은 동물이 큰 동물에게 겁도 없이 사납게 [   ].

③ 자동차는 기름이나 가스 등 [   ]가 있어야 움직여요.

④ 공룡은 아주 오래전 [   ] 지금은 화석으로만 볼 수 있어요.

＊'성큼성큼'은 '큰 걸음으로 가볍고 힘차게 걷는 모양'을, '달려들다'는 '사나운 기세로 무섭게 다가들다'를 뜻해요.

📖 국어 뜻을 읽고, 알맞은 낱말을 보기 에서 찾아 빈칸에 쓰세요.

보기   모형   깡충깡충   발굴하다   열람실   평화롭다

① 긴 다리를 모으고 가볍고 힘 있게 솟구쳐 뛰는 모양. ················

② 평온하고 화목한 느낌이 있다. ·································

③ 땅속에 묻혀 있는 역사적 유물 등을 파내다. ············

④ 도서관 같은 곳에서 책 등을 훑어보거나 조사하면서 보는 방. ········

⑤ 어떤 것을 그대로 본떠서 만든 물건. ·····················

2
주

📖 수학 낱말을 읽고, 알맞은 뜻을 찾아 선으로 이으세요.

점수 •

건수 •

개수 •

• 일이나 사건 등의 가짓수.

• 한 개씩 낱으로 셀 수 있는 물건의 수.

• 성적을 나타내는 숫자.

📖 통합교과 글을 읽고, 바른 문장이 되도록 알맞은 낱말을 보기 에서 찾아 쓰세요.

보기	대기 오염	행사장	조사	탐험한

① 역사 박물관에 가서 구석기 시대의 유물을 자세하게 [   ] 해요.

② 남극을 [   ] 모험가의 이야기를 읽고 나서 남극에 가고 싶어졌어요.

③ [   ] 안이 많은 손님들로 매우 붐벼요.

④ 자동차 수가 많아지면서 [   ] 이 점점 심해져요.

＊ '탐험하다'는 '위험을 무릅쓰고 어떤 곳을 찾아가서 살펴보고 조사하다'를, '행사장'은 '행사를 진행하는 장소'를 뜻해요.

📖 통합교과 뜻을 읽고, 알맞은 낱말을 찾아 선으로 이으세요.

태워서 열, 빛, 동력 같은 것을 얻을 수 있는 물질.	•		•	연료

간장, 된장, 고추장 등을 담아 두거나 담그는 독.	•		•	말썽

문제를 일으키는 말이나 행동.	•		•	장독

Q 이야기를 읽고, 물음에 답하세요.

국립 중앙 박물관은 우리나라의 역사와 문화를 잘 살펴보고 즐겁게 체험할 수 있는 곳입니다. 왜냐하면 우리 조상들이 남긴 삶의 흔적이 고스란히 담겨 있기 때문입니다. 박물관에는 땅속에서 발굴한 구석기 시대 손도끼부터 도자기, 그림, [?]에 이르기까지 여러 유물이 시대별 또는 분야별로 잘 전시되어 있습니다. 또한 전시된 유물들을 정확하고 자세하게 설명하고 있습니다. 국립 중앙 박물관을 자주 이용하다 보면 우리나라의 역사와 문화에 대해 자부심을 느낄 수 있게 될 것입니다.

1. 뜻을 읽고, 알맞은 낱말을 글 속의 빨간색 낱말 중에서 찾아 빈칸에 쓰세요.

① 여러 갈래로 나누어진 범위나 부분. ·································

② 어떤 것이 있었거나 지나가고 난 뒤에 남은 자국. ·················

③ 나라나 민족, 한 사회가 처음 생겨나 오늘에 이르기까지 변하고 겪어 온 과정이나 그 과정을 적은 것. ·················

2. 글 속의 [?] 안에 알맞은 낱말을 찾아 ○ 하세요.

우편물	발자국	민속품

스스로 평가

51

요리조리 길 찾기

□ 안의 뜻을 읽고, 알맞은 낱말이 쓰여 있는 길을 따라 줄을 그으세요.

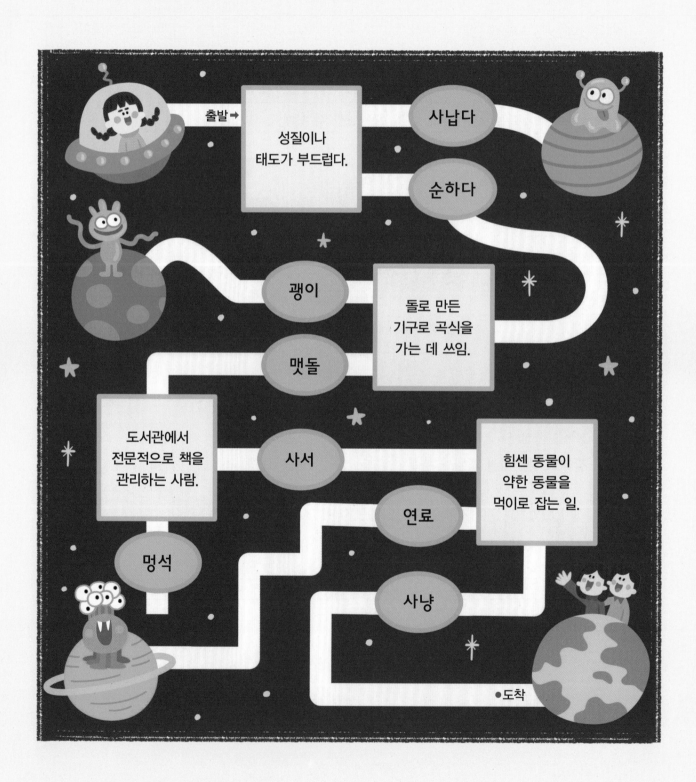

관심 있는 주제를 가운데 동그라미에 쓰고, 어휘들을
자유롭게 적으며 나만의 어휘 그물을 만들어 보세요.

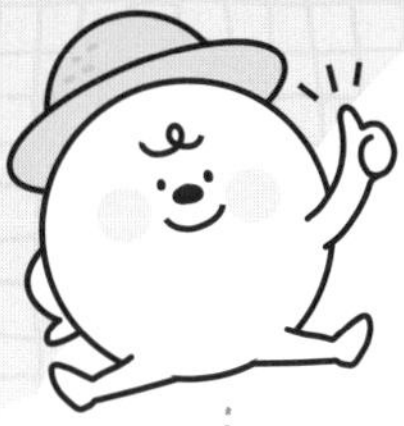

내가 만드는 어휘 그물

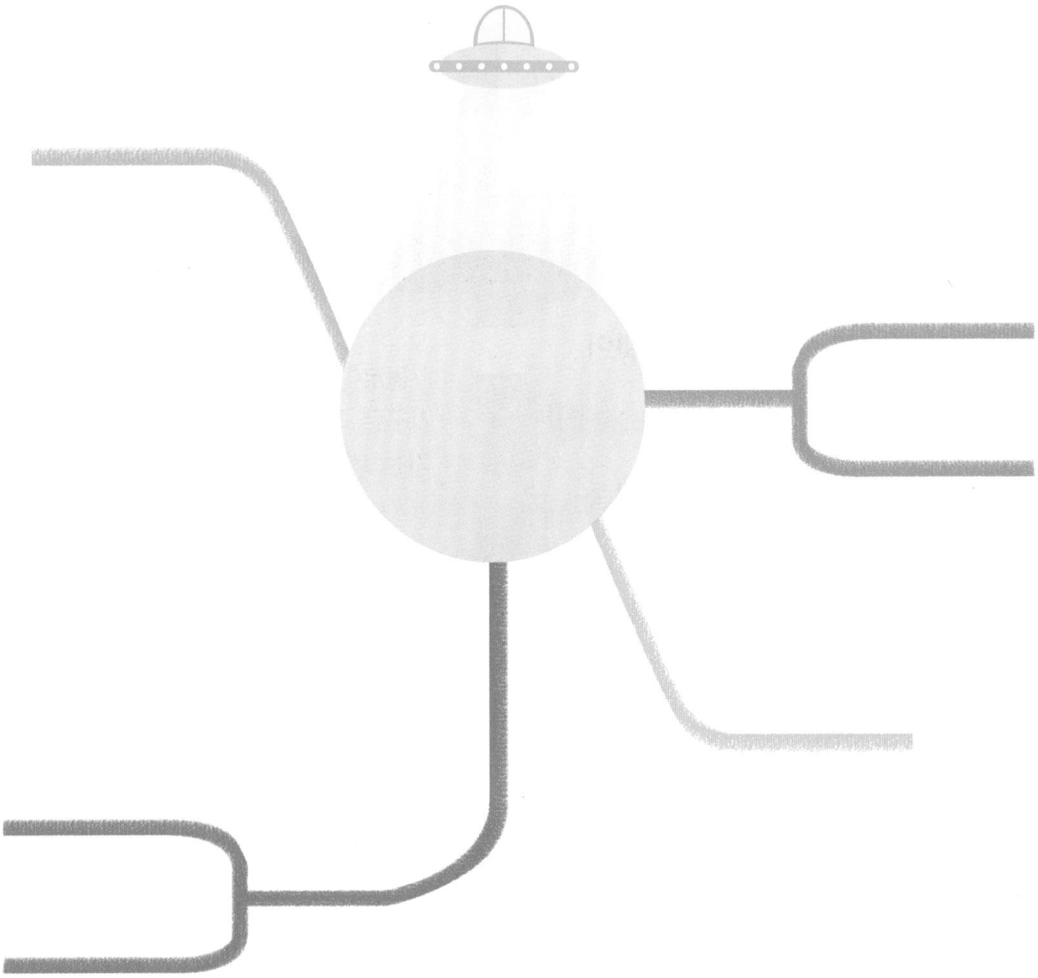

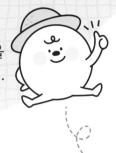

3주

이번 주에 공부할 어휘들이에요.
어휘를 살펴보고,
알고 있는 어휘에 ✓를 하세요.
공부할 날짜를 쓰며
학습 계획도 세워 보세요.

1일 바느질

📖 공부할 날 　월　일

- ☐ 골무
- ☐ 꿰다
- ☐ 꿰매다
- ☐ 달다
- ☐ 매듭
- ☐ 엉키다
- ☐ 재봉사
- ☐ 집게손가락
- ☐ 칭칭

2일 요리

📖 공부할 날 　월　일

- ☐ 다듬다
- ☐ 도마
- ☐ 매콤하다
- ☐ 물컹하다
- ☐ 볶다
- ☐ 비린내
- ☐ 삶다
- ☐ 재료
- ☐ 지글지글

3일 반려동물

- ☐ 갉다
- ☐ 당기다
- ☐ 돌보다
- ☐ 목줄
- ☐ 물어뜯다
- ☐ 복슬복슬
- ☐ 살랑살랑
- ☐ 짖다
- ☐ 할퀴다

4일 장마

- ☐ 고이다
- ☐ 곰팡이
- ☐ 그치다
- ☐ 내내
- ☐ 상하다
- ☐ 소란스럽다
- ☐ 웅덩이
- ☐ 주룩주룩
- ☐ 튀다

5일 어휘 복습

아는 어휘 　　　　개 / 모르는 어휘 　　　　개

1일

바느질

'바느질'과 관련 있는 어휘와 그 뜻을 소리 내어 읽고, 어휘 그물을
살펴보며 빈칸에 알맞은 낱말을 쓰세요.

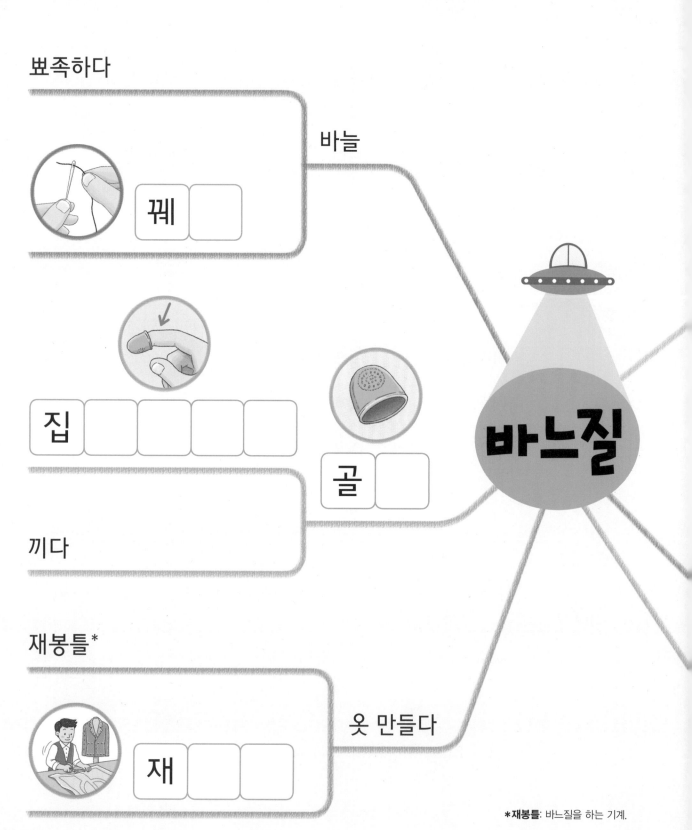

뾰족하다

꿰 ☐

바늘

집 ☐ ☐ ☐ ☐

골 ☐

끼다

바느질

재봉틀*

재 ☐ ☐

옷 만들다

***재봉틀**: 바느질을 하는 기계.

56

어휘 읽기

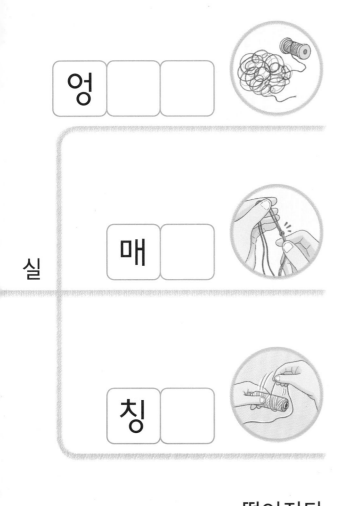

실

| 엉 | | |

| | 매 | |

| | 칭 | |

떨어지다

단추

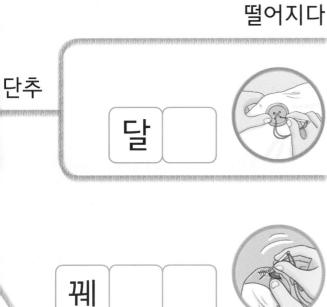

| | 달 | |

| 꿰 | | |

골무
바느질할 때 손가락 끝에 끼는 물건.

꿰다
실이나 줄 같은 것을 구멍이나 틈으로 넣어서 빼다.

꿰매다
뚫리거나 해진 데를 바느질하다.

달다
물건을 어떤 곳에 걸거나 붙이거나 매어서 떨어지지 않게 하다.

매듭
실이나 끈 등을 매어서 만든 마디.

엉키다
실, 줄 같은 것이 서로 한데 얽히다.

재봉사
(裁 마를 재 縫 꿰맬 봉 師 스승 사)
옷 만드는 일을 하는 사람.

집게손가락
다섯 손가락 가운데 둘째 손가락.

칭칭
붕대나 끈 같은 것을 감거나 동여매는 모양.

🖎 뜻을 읽고, 알맞은 낱말을 보기 에서 찾아 빈칸에 쓰세요.

| 보기 | 달다 | 집게손가락 | 꿰매다 | 매듭 | 골무 |

① 다섯 손가락 가운데 둘째 손가락. ⋯⋯⋯⋯⋯⋯⋯⋯⋯⋯⋯⋯

② 실이나 끈 등을 매어서 만든 마디. ⋯⋯⋯⋯⋯⋯⋯⋯⋯⋯⋯⋯

③ 바느질할 때 손가락 끝에 끼는 물건. ⋯⋯⋯⋯⋯⋯⋯⋯⋯⋯

④ 뚫리거나 해진 데를 바느질하다. ⋯⋯⋯⋯⋯⋯⋯⋯⋯⋯⋯⋯

⑤ 물건을 어떤 곳에 걸거나 붙이거나 매어서 떨어지지 않게 하다. ⋯⋯

🖎 글을 읽고, ( ) 안에 들어갈 알맞은 낱말을 찾아 선으로 이으세요.

할머니가 실을
바늘에 (   ). • • 재봉사

아빠 양복은
솜씨 좋은 (   )가 만들어 • • 칭칭
멋지고 편해요.

사냥꾼이 멧돼지를 밧줄로
(   ) 묶었어요. • • 꿰어요

실이 마구 (   )
푸느라 힘들었어요. • • 엉켜서

🖐 그림을 보고, 떠오르는 낱말을 보기 에서 찾아 빈칸에 쓰세요.

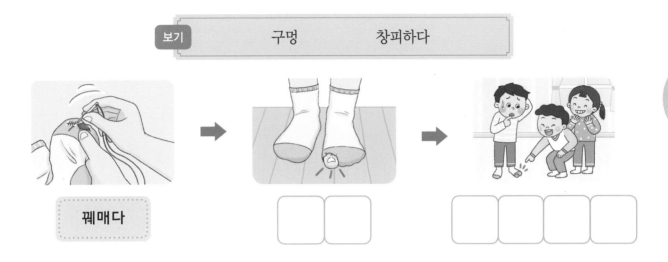

보기   구멍   창피하다

꿰매다

🖐 낱말을 읽고, 반대말을 찾아 선으로 이으세요.

달다 •   • 떼다

엉키다 •   • 풀다

🖐 만화를 보고, 상황에 어울리는 속담이 되도록 흐린 글자를 따라 쓰세요.

▶ 속담 '바늘 도둑이 소 도둑 된다'는 '바늘을 훔치던 사람이 계속 반복하다 보면 소까지도 훔친다'는 뜻으로, 작은 나쁜 짓도 자꾸 하게 되면 큰 죄를 저지르게 됨을 뜻해요.

스스로
평가 😄 ☺ 😣

59

2일

요리

'요리'와 관련 있는 어휘와 그 뜻을 소리 내어 읽고, 어휘 그물을 살펴보며 빈칸에 알맞은 낱말을 쓰세요.

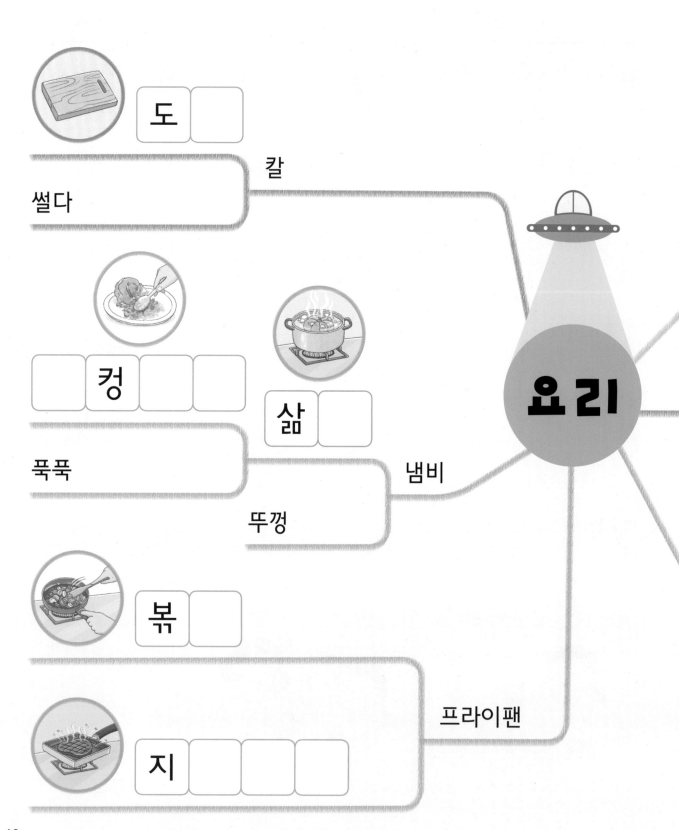

도[ ]

썰다

칼

컹[ ][ ]

푹푹

삶[ ]

냄비

뚜껑

볶[ ]

지[ ][ ]

프라이팬

3
주

다 [ ] [ ]

재 [ ]

씻다

짜다

맛

[ ] 콤 [ ] [ ]

솔솔

냄새

비 [ ] [ ]

다듬다
쓸모없는 부분을 떼거나 깎아서 손질하다.

도마
칼로 음식 재료를 썰 때 밑에 받치는 판.

매콤하다
냄새나 맛이 약간 맵다.

물컹하다
뭉그러질 정도로 물렁하다.

볶다
멸치, 채소 같은 것을 불에 달군 그릇에
넣고 잘 저어 가면서 익히다.

비린내
비린 냄새.

삶다
물에 넣고 끓이다.

재료(材 재목 **재** 料 헤아릴 **료**)
어떤 것을 만드는 데 쓰는 것.

지글지글
적은 양의 물이나 기름이 계속하여
끓으면서 나는 소리나 모양.

61

✍️ 뜻을 읽고, 알맞은 낱말을 찾아 선으로 이으세요.

어떤 것을 만드는 데 쓰는 것.	재료
물에 넣고 끓이다.	지글지글
칼로 음식 재료를 썰 때 밑에 받치는 판.	도마
적은 양의 물이나 기름이 계속하여 끓으면서 나는 소리나 모양.	삶다

✍️ 글을 읽고, 바른 문장이 되도록 알맞은 낱말을 보기 에서 찾아 빈칸에 쓰세요.

보기   비린내   다듬어서   매콤해요   물컹해요   볶아요

① 생선이 싱싱하지 않아서 [   ] 가 심하게 나요.

② 엄마가 프라이팬에 멸치를 [   ] .

③ 호박을 푹 삶았더니 씹지 않아도 될 정도로 [   ] .

④ 요리사가 채소를 깨끗이 [   ] 요리 재료를 준비해요.

⑤ 국에 고춧가루를 많이 넣어 국물이 [   ] .

✎ 그림을 보고, 떠오르는 낱말을 보기 에서 찾아 빈칸에 쓰세요.

보기   수산 시장   생선

비린내

*'수산 시장'은 '바다나 강 등에서 나는 물고기, 조개, 해초 등을 사고파는 시장'을 뜻해요.

유의어

✎ 낱말을 읽고, 비슷한말을 찾아 선으로 이으세요.

매콤하다 •   • 끓이다

삶다 •   • 맵다

사자성어

✎ 만화를 보고, 상황에 맞는 말이 되도록 ? 안에 알맞은 흐린 글자를 따라 쓰세요.

우아, 이게 다 뭐야! 산과 바다에서 나는 온갖 것들이 다 있네!

이런 걸 바로 ? 라고 하지.

산해진미

▶사자성어 '산해진미'는 '산과 바다에서 나는 온갖 귀한 물건으로 차린, 맛이 좋은 음식'을 뜻해요.

스스로 평가

3일

반려동물

'반려동물'과 관련 있는 어휘와 그 뜻을 소리 내어 읽고, 어휘 그물을 살펴보며 빈칸에 알맞은 낱말을 쓰세요.

짖[ ]

복[ ][ ][ ]

물[ ][ ][ ]

살[ ][ ][ ]

산책*

당[ ][ ]

목[ ]

강아지

반려동물

어휘 읽기

3
주

| 할 | | |

고양이

낮잠

갉다
날카롭고 뾰족한 끝으로 박박 문지르다.

당기다
어떤 것을 끌어서 가까이 오게 하다.

돌보다
관심을 가지고 보살피다.

| 갉 | |

햄스터

작다

목줄
개나 고양이 같은 동물의 목에 매는 줄.

물어뜯다
이나 부리로 물어서 뜯다.

복슬복슬
살이 찌고 털이 많아서 귀엽고 탐스러운 모양.

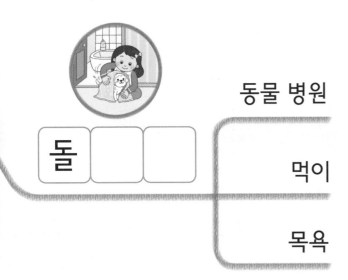

동물 병원

| 돌 | | |

먹이

목욕

살랑살랑
가볍게 흔들거나 흔들리는 모양.

짖다
개가 입을 벌려 큰 소리를 내다.

할퀴다
날카로운 것으로 긁어서 상처를 내다.

＊**산책**: 쉬거나 건강을 위하여 천천히 걷는 일.

✎ 뜻을 읽고, 알맞은 낱말을 보기에서 찾아 빈칸에 쓰세요.

보기	복슬복슬	물어뜯다	당기다	목줄	돌보다

① 관심을 가지고 보살피다. ·······························

② 살이 찌고 털이 많아서 귀엽고 탐스러운 모양. ·····················

③ 어떤 것을 끌어서 가까이 오게 하다. ·······················

④ 개나 고양이 같은 동물의 목에 매는 줄. ·······················

⑤ 이나 부리로 물어서 뜯다. ·······························

✎ 글을 읽고, ( ) 안에 들어갈 알맞은 낱말을 찾아 선으로 이으세요.

강아지가 꼬리를
( ) 흔들어요. •

강아지가 멍멍 하고
큰 소리로 ( ). •

햄스터가 이빨로 상자를
계속 ( ). •

고양이가 발톱으로
손을 ( ) 상처가
났어요. •

• 짖어요

• 갉아요

• 살랑살랑

• 할퀴어서

연상 어휘

✎ 그림을 보고, 떠오르는 낱말을 보기 에서 찾아 빈칸에 쓰세요.

보기   상처   치료하다

할퀴다

유의어

✎ 낱말을 읽고, 비슷한말을 찾아 선으로 이으세요.

돌보다 •   • 긁다

할퀴다 •   • 보살피다

속담

✎ 만화를 보고, 상황에 어울리는 속담이 되도록 흐린 글자를 따라 쓰세요.

엄마! 소금 필요하지요?

오호! 어떻게 알았어?

엄마가 요리하는 걸 많이 봤잖아요.

요리사 해도 되겠네!

서당 개 삼 년에

풍월 을

읊는다

▶ 속담 '서당 개 삼 년에 풍월을 읊는다'는 '서당에서 삼 년 동안 살면서 매일 글 읽는 소리를 듣다 보면 개조차도 글 읽는 소리를 내게 된다'는 뜻으로, 어떤 분야에 지식이 없어도 그 부문에 오래 있으면 얼마간의 지식과 경험을 갖게 된다는 것을 뜻해요.

스스로
평가 😄 🙂 😖

장마

'장마'와 관련 있는 어휘와 그 뜻을 소리 내어 읽고, 어휘 그물을
살펴보며 빈칸에 알맞은 낱말을 쓰세요.

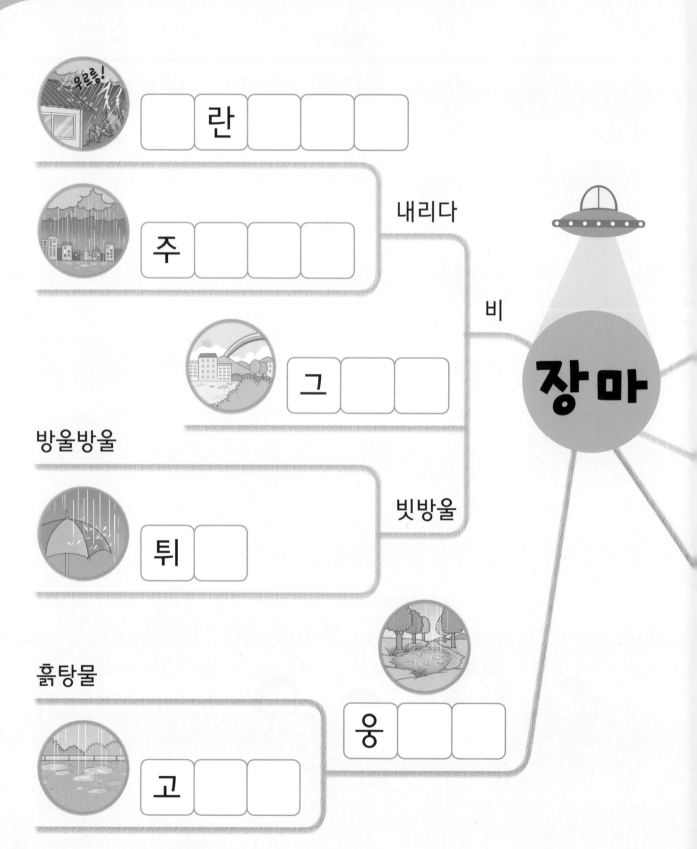

란

주

내리다

그

비

장마

방울방울

튀

빗방울

흙탕물

웅

고

68

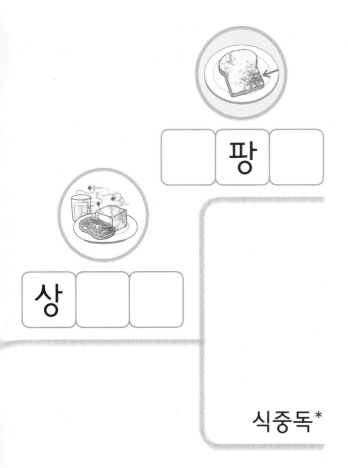

식중독*

후텁지근하다*

며칠 내

＊**식중독**: 보통 상한 음식을 먹어서 생기는 병.
＊**후텁지근하다**: 조금 불쾌할 정도로 끈끈하고 무덥다.

어휘 읽기

3주

고이다
물 같은 것이 푹 들어간 곳에 모이다.

곰팡이
어둡고 축축한 곳에서 자라는 작은 생물.

그치다
이어져 오던 일이나 움직임이 끝나거나
멈추다.

내내
처음부터 끝까지 계속해서.

상(傷 상처 **상**)**하다**
음식이 변하거나 썩어서 먹을 수 없게 되다.

소란(騷 떠들 소 亂 어지러울 **란**)**스럽다**
시끄럽고 어수선하다.

웅덩이
땅바닥이 움푹 패어 물이 괴어 있는 곳.

주룩주룩
굵은 빗줄기가 쏟아지는 소리나 모양.

튀다
물방울같이 작은 것들이 위나 옆으로
세게 흩어지다.

✏️ 뜻을 읽고, 알맞은 낱말을 찾아 선으로 이으세요.

이어져 오던 일이나
움직임이 끝나거나 멈추다. •

물 같은 것이
푹 들어간 곳에 모이다. •

음식이 변하거나 썩어서
먹을 수 없게 되다. •

물방울같이 작은 것들이
위나 옆으로 세게 흩어지다. •

• 튀다

• 상하다

• 고이다

• 그치다

✏️ 글을 읽고, 바른 문장이 되도록 알맞은 낱말을 보기 에서 찾아 빈칸에 쓰세요.

| 보기 | 주룩주룩 | 내내 | 소란스러워요 | 웅덩이 | 곰팡이 |

① 오래된 빵에 푸른 ☐ 가 피었어요.

② 하늘에 먹구름이 끼더니 비가 ☐ 쏟아져요.

③ 운동장 여기저기에 빗물이 고여 ☐ 가 생겼어요.

④ 따뜻한 곳에서는 일 년 ☐ 벼농사를 지을 수 있어요.

⑤ 큰 도시는 자동차 소리, 음악 소리, 사람들 소리로 ☐ .

한자어

✎ '상(傷)'과 '소(騷)'의 뜻을 읽고, 알맞은 낱말을 보기 에서 찾아 빈칸에 쓰세요.

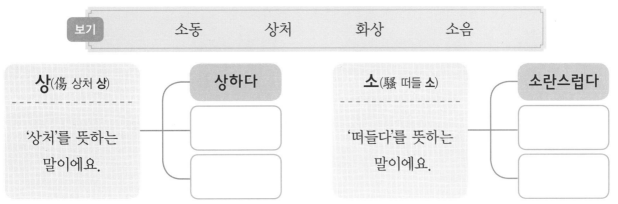

보기   소동   상처   화상   소음

상(傷 상처 상) ┈┈ 상하다

'상처'를 뜻하는 말이에요.

소(騷 떠들 소) ┈┈ 소란스럽다

'떠들다'를 뜻하는 말이에요.

＊'소동'은 '놀라거나 흥분한 사람들이 마구 떠들면서 어지럽게 움직이는 일'을, '화상'은 '뜨거운 것에 데었을 때에 생기는 상처'를, 소음'은 '시끄러운 소리'를 뜻해요.

반대어

✎ 낱말을 읽고, 반대말을 찾아 선으로 이으세요.

그치다 •   • 조용하다

소란스럽다 •   • 계속하다

속담

✎ 만화를 보고, 상황에 어울리는 속담이 되도록 흐린 글자를 따라 쓰세요.

민재랑 오래 놀려면 숙제랑 내 방 정리를 다 해야 되지?

어휴! 평상시에도 그렇게 빠르게 움직이면……

비 틈으로 빠져나가겠다

▶ 속담 '비 틈으로 빠져나가겠다'는 '행동이나 동작이 매우 재빠르고 날쌔다'는 뜻이에요.

📖 국어 낱말을 읽고, 알맞은 뜻을 찾아 선으로 이으세요.

반죽 ●   ● 냄새나 맛이 약간 맵다.

달콤하다 ●   ● 가루에 물을 부어 섞은 것.

질다 ●   ● 밥이나 반죽이 물기가 많다.

매콤하다 ●   ● 입에 당기게 달다.

📖 국어 글을 읽고, 바른 문장이 되도록 알맞은 낱말을 보기 에서 찾아 빈칸에 쓰세요.

| 보기 | 딱한 | 폭풍우 | 뙤약볕 | 고였어요 |

① 한낮의 뜨거운 [   ]에 얼굴이 새카맣게 탔어요.

② 아이의 [   ] 사정을 듣다 보니 눈물이 나요.

③ 어제 내린 비로 웅덩이에 빗물이 [   ].

④ 어젯밤에 거센 [   ]가 휘몰아쳐서 강이 넘쳤어요.

* '딱하다'는 '사정이나 처지가 가엾다'를, '폭풍우'는 '몹시 세찬 바람이 불면서 쏟아지는 큰비'를, '뙤약볕'은 '여름날에 강하게 내리쬐는 몹시 뜨거운 볕'을 뜻해요.

3주

📖 국어 뜻을 읽고, 알맞은 낱말을 보기 에서 찾아 빈칸에 쓰세요.

보기   참견   돌보다   내내   야금야금

① 무엇을 입 안에 넣고 잇따라 조금씩 먹는 모양. ……………………

② 처음부터 끝까지 계속해서. ………………………………………

③ 자기와 상관없는 일이나 말에 끼어들어 이래라저래라 함. ………

④ 관심을 가지고 보살피다. …………………………………………

📖 수학 그림을 보고, 떠오르는 낱말을 보기 에서 찾아 빈칸에 쓰세요.

보기   삼각형   원

동전 : 동그랗게 생긴 돈.

＿ : 둥글게 그려진 모양이나 형태.

고깔 : 위 끝이 뾰족하게 생긴 모자.

＿＿＿ : 곧은 선 세 개로 둘러싸인 도형.

📖 통합교과 뜻을 읽고, 알맞은 낱말을 보기 에서 찾아 빈칸에 쓰세요.

보기   봄나물   알콩달콩   도마   변신

① 칼로 음식 재료를 썰 때 밑에 받치는 판. ·············· [　　]

② 아기자기하고 사이좋게 사는 모양. ·············· [　　]

③ 봄에 산이나 들에 돋아나는 나물. ·············· [　　]

④ 몸의 모양이나 태도를 바꿈. ·············· [　　]

📖 통합교과 글을 읽고, (　) 안에 똑같이 들어갈 낱말을 찾아 선으로 이으세요.

| 자전거를 탈 때는 안전모를 쓰는 것이 (　)이다. | 위험한 공사장에서는 (　)을 꼭 지켜야 한다. | 아빠와 오빠는 남자라는 (　)이 있다. | 축구와 야구의 (　)은 공으로 하는 운동이란 점이다. |

• •

공통점   안전 수칙

*'공통점'은 '둘 또는 그 이상의 여럿 사이에 두루 통하는 점'을, '안전 수칙'은 '위험이 생기거나 사고가 나지 않도록 지켜야 할 규칙'을 뜻해요.

Q 이야기를 읽고, 물음에 답하세요.

지훈이가 집에 돌아와 보니, 집 안이 소란스러웠어요. 고소하고 매콤한 냄새도 났지요. 바로 시골에서 할머니가 올라오신 거예요. 할머니는 직접 따서 말리신 버섯에 여러 가지 재료를 넣고 지글지글 볶고 계셨어요. 할머니는 바쁜 엄마, 아빠 대신 방학 동안 지훈이를 ⟨?⟩ 오신 거라, 방학 내내 지훈이네 집에 계실 거래요. 지훈이는 할머니랑 방학을 보낼 생각에 벌써부터 마음이 설렜답니다.

1. 뜻을 읽고, 알맞은 낱말을 글 속의 빨간색 낱말 중에서 찾아 빈칸에 쓰세요.

① 적은 양의 물이나 기름이 계속하여 끓으면서 나는 소리나 모양. ······

② 처음부터 끝까지 계속해서. ·································

③ 어떤 것을 만드는 데 쓰는 것. ·······················

2. 글 속의 ⟨?⟩ 안에 알맞은 낱말을 찾아 ◯ 하세요.

| 다듬으러 | 돌보러 | 할퀴러 |

재미난 낱말 퍼즐

💡 아래에 쓰인 뜻을 읽고 알맞은 낱말을 찾아 ⭕ 하세요.

비	린	내	일	오	늘
웃	곰	내	요	일	엉
살	팡	당	짖	기	키
랑	이	사	다	듬	다
살	웅	덩	이	유	고
랑	기	롭	다	매	듭

① 실, 줄 같은 것이 서로 한데 얽히다.
② 땅바닥이 움푹 패어 물이 괴어 있는 곳.
③ 쓸모없는 부분을 떼거나 깎아서 손질하다.
④ 비린 냄새.
⑤ 가볍게 흔들거나 흔들리는 모양.
⑥ 개가 입을 벌려 큰 소리를 내다.
⑦ 처음부터 끝까지 계속해서.
⑧ 실이나 끈 등을 매어서 만든 마디.

관심 있는 주제를 가운데 동그라미에 쓰고, 어휘들을
자유롭게 적으며 나만의 어휘 그물을 만들어 보세요.

내가 만드는 어휘 그물

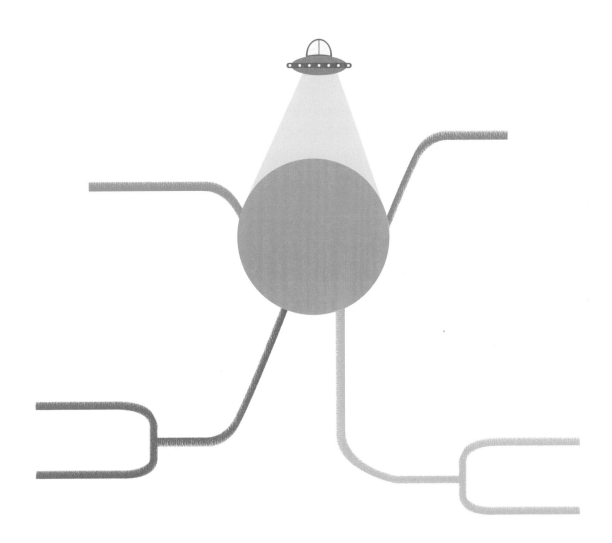

4주

이번 주에 공부할 어휘들이에요.
어휘를 살펴보고,
알고 있는 어휘에 ✔를 하세요.
공부할 날짜를 쓰며
학습 계획도 세워 보세요.

1일 물놀이

📖 공부할 날 ◯ 월 ◯ 일

- ☐ 거세다
- ☐ 구명조끼
- ☐ 담그다
- ☐ 물가
- ☐ 물살
- ☐ 물장구
- ☐ 빠지다
- ☐ 수온
- ☐ 참방참방

2일 자전거

📖 공부할 날 ◯ 월 ◯ 일

- ☐ 고장
- ☐ 몸체
- ☐ 속도
- ☐ 손잡이
- ☐ 아슬아슬
- ☐ 안전모
- ☐ 장비
- ☐ 점검
- ☐ 천천히

3일 낚시

- ☐ 가라앉다
- ☐ 낚다
- ☐ 뜨다
- ☐ 미끼
- ☐ 싱싱하다
- ☐ 양동이
- ☐ 출렁거리다
- ☐ 팔딱팔딱
- ☐ 휘다

4일 등산

- ☐ 가쁘다
- ☐ 골짜기
- ☐ 내리막길
- ☐ 메아리
- ☐ 산꼭대기
- ☐ 야생
- ☐ 오르다
- ☐ 오르막길
- ☐ 중턱

5일 어휘 복습

 아는 어휘   개 /   모르는 어휘   개

어휘 그물

1일

물놀이

'물놀이'와 관련 있는 어휘와 그 뜻을 소리 내어 읽고, 어휘 그물을 살펴보며 빈칸에 알맞은 낱말을 쓰세요.

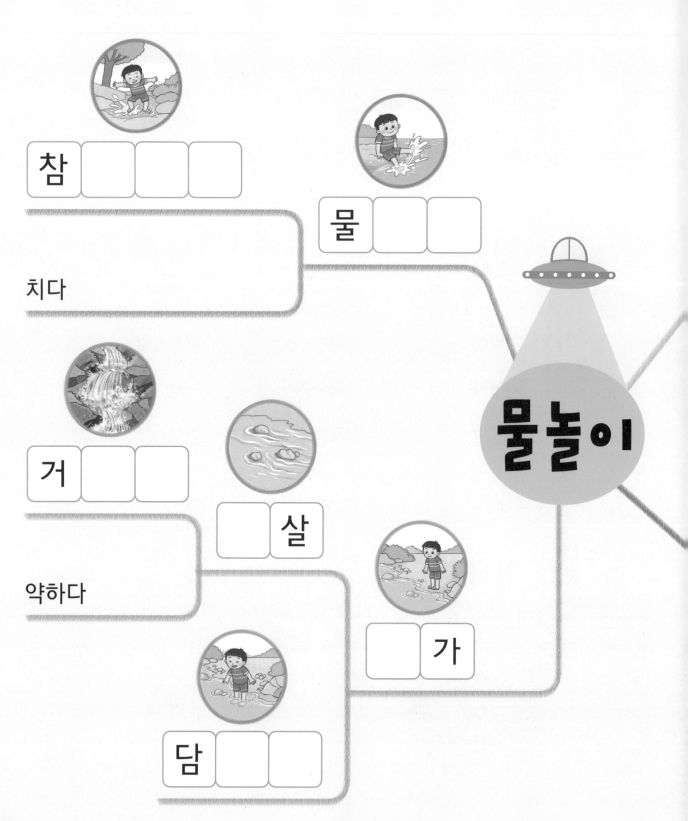

참 ☐ ☐ ☐

치다

물 ☐ ☐

거 ☐ ☐

☐ 살

약하다

☐ 가

담 ☐ ☐

물놀이

어휘 읽기

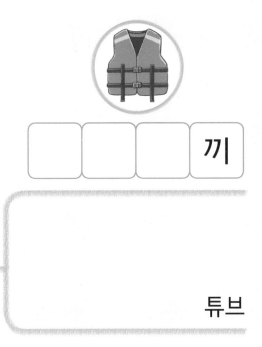

＿＿＿＿ 끼

준비물

튜브

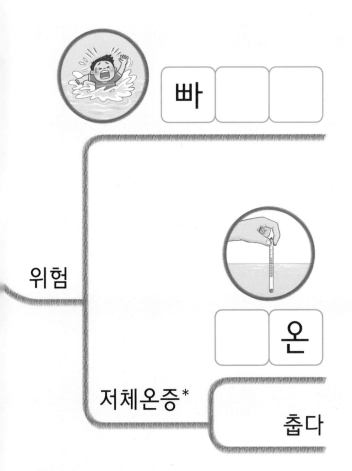

빠＿＿

위험

＿ 온

저체온증 *

춥다

＊**저체온증**: 체온이 정상보다 낮은 증상.

거세다
거칠고 세차다.

구명(救 구원할 **구** 命 목숨 **명**)**조끼**
몸을 물에 뜨게 하는 조끼.

담그다
물 같은 것에 넣다.

물가
바다, 강, 호수처럼 물이 있는 곳의 둘레나
끝부분.

물살
물이 흘러 내뻗는 힘.

물장구
물놀이하거나 헤엄칠 때 두 발로 물을
잇달아 차는 것.

빠지다
물, 구덩이 같은 깊은 곳에 떨어지다.

수온(水 물 **수** 溫 따뜻할 **온**)
물의 온도.

참방참방
작은 것이 물에 자꾸 부딪치거나 잠기는
소리 또는 모양.

✏️ 뜻을 읽고, 알맞은 낱말을 보기 에서 찾아 빈칸에 쓰세요.

보기	담그다	물살	수온	참방참방	빠지다

① 작은 것이 물에 자꾸 부딪치거나 잠기는 소리 또는 모양. ⋯⋯⋯⋯

② 물 같은 것에 넣다. ⋯⋯⋯⋯⋯⋯⋯⋯⋯⋯⋯⋯⋯⋯⋯⋯

③ 물, 구덩이 같은 깊은 곳에 떨어지다. ⋯⋯⋯⋯⋯⋯⋯⋯

④ 물이 흘러 내뻗는 힘. ⋯⋯⋯⋯⋯⋯⋯⋯⋯⋯⋯⋯⋯⋯

⑤ 물의 온도. ⋯⋯⋯⋯⋯⋯⋯⋯⋯⋯⋯⋯⋯⋯⋯⋯⋯⋯

✏️ 글을 읽고, ( ) 안에 들어갈 알맞은 낱말을 찾아 선으로 이으세요.

배가 ( )에 닿자 사람들이
배에서 내려요. •

• 거세서

파도가 무척 ( )
바다에 나갈 수 없어요. •

• 물가

수영장에서 아이들이
( )를 치며 놀아요. •

• 구명조끼

( )를 입으면 몸이
물에 둥둥 떠요. •

• 물장구

✍ '가'와 '명(命)'의 뜻을 읽고, 알맞은 낱말을 보기 에서 찾아 빈칸에 쓰세요.

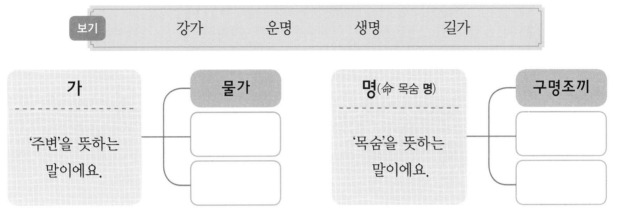

보기   강가   운명   생명   길가

가	물가	명(命 목숨 명)	구명조끼
'주변'을 뜻하는 말이에요.		'목숨'을 뜻하는 말이에요.	

* '운명'은 '세상의 모든 것을 결정한다고 믿는 강한 기운'을 뜻해요.

✍ 낱말을 읽고, 반대말을 찾아 선으로 이으세요.

거세다 •   • 꺼내다

담그다 •   • 부드럽다

✍ 만화를 보고, 상황에 어울리는 속담이 되도록 흐린 글자를 따라 쓰세요.

엄마, 엄마! 양말 어디 있어요?

이런! 네가 싫어하는 양말밖에 없네.

학교 늦었는데, 이거라도 신어야죠.

물에 빠지면 지푸라기 라도 잡는다

▶ 속담 '물에 빠지면 지푸라기라도 잡는다'는 '급할 때에는 무엇이나 닥치는 대로 잡고 늘어지게 된다'는 뜻이에요.

스스로 평가 😄 ☺ ☹

83

2일

자전거

'자전거'와 관련 있는 어휘와 그 뜻을 소리 내어 읽고, 어휘 그물을 살펴보며 빈칸에 알맞은 낱말을 쓰세요.

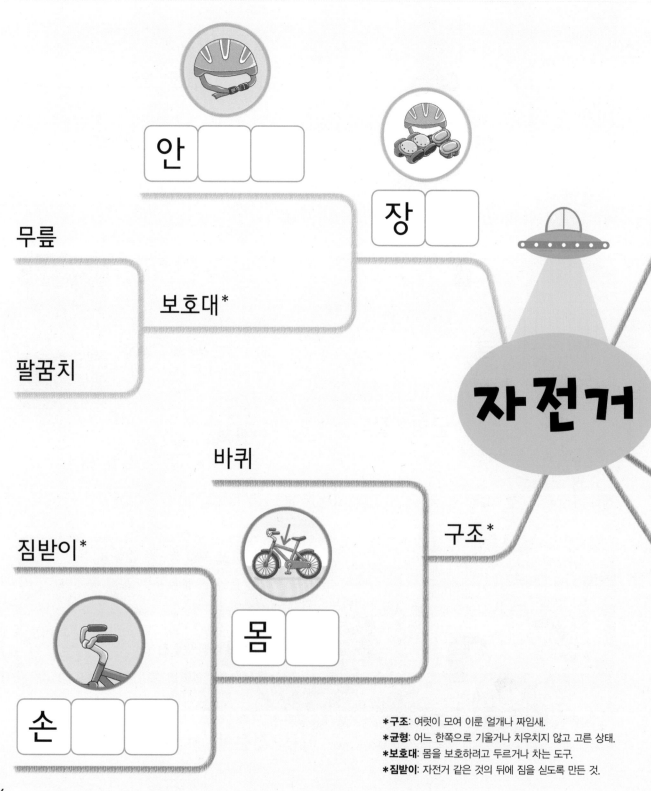

안□□

장□

무릎

보호대*

팔꿈치

바퀴

짐받이*

구조*

몸□

손□□

*구조: 여럿이 모여 이룬 얼개나 짜임새.
*균형: 어느 한쪽으로 기울거나 치우치지 않고 고른 상태.
*보호대: 몸을 보호하려고 두르거나 차는 도구.
*짐받이: 자전거 같은 것의 뒤에 짐을 싣도록 만든 것.

어휘 읽기

4주

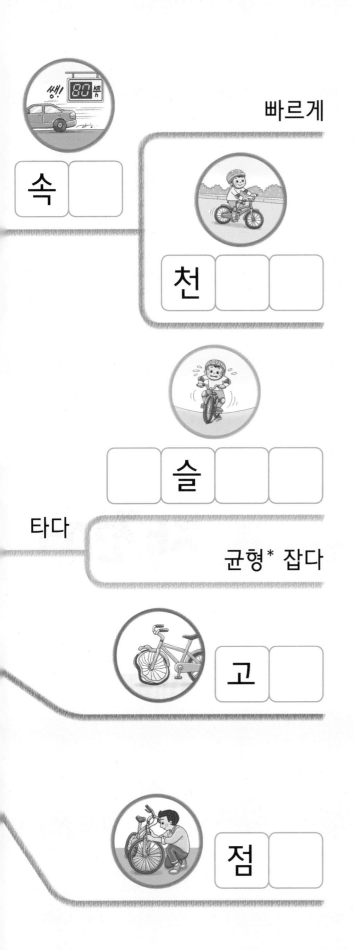

빠르게

속 □

천 □ □

□ 슬 □ □

타다

균형* 잡다

고 □

점 □

고장(故 옛 고 障 가로막을 장)
기계나 장난감 같은 물건이 망가지는 것.

몸체(體 몸 체)
어떤 것의 몸이 되는 부분.

속도(速 빠를 속 度 법도 도)
물체가 나아가거나 일이 진행되는 빠르기.

손잡이
손으로 잡기 좋게 물건 한쪽에 단 부분.

아슬아슬
일이 잘 안될까 봐 두려워서 마음이
위태롭거나 조마조마한 모양.

안전모
(安 편안할 안 全 온전할 전 帽 모자 모)
머리를 보호하려고 쓰는 모자.

장비(裝 꾸밀 장 備 갖출 비)
어떤 일을 할 때 갖추는 물건.

점검(點 점찍을 점 檢 검사할 검)
모자라거나 잘못된 점이 없는지 살피는 것.

천천히
서두르지 않고 느긋하게.

85

✏️ 뜻을 읽고, 알맞은 낱말을 찾아 선으로 이으세요.

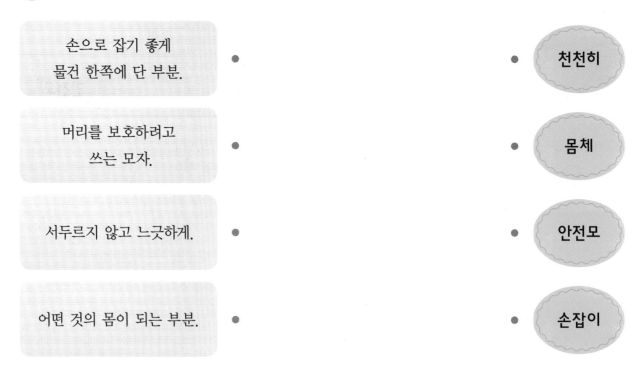

손으로 잡기 좋게 물건 한쪽에 단 부분. •

머리를 보호하려고 쓰는 모자. •

서두르지 않고 느긋하게. •

어떤 것의 몸이 되는 부분. •

• 천천히

• 몸체

• 안전모

• 손잡이

✏️ 글을 읽고, 바른 문장이 되도록 알맞은 낱말을 보기 에서 찾아 빈칸에 쓰세요.

| 보기 | 장비 | 점검 | 아슬아슬 | 속도 | 고장 |

① 라디오가 [   ] 이 나서 소리가 나오지 않아요.

② 사고를 막기 위해서 미리미리 자동차를 [   ] 해야 해요.

③ 내리막길에서는 자전거 [   ] 를 줄여야 해요.

④ 광대가 중심을 잡으며 [   ] 외발자전거를 탔어요.

⑤ 은우가 자전거를 타려고 안전모, 보호대 같은 [   ] 를 챙겨요.

🖎 '속(速)'과 '안(安)'의 뜻을 읽고, 알맞은 낱말을 보기 에서 찾아 빈칸에 쓰세요.

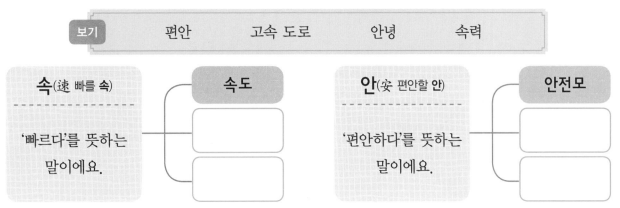

보기 편안   고속 도로   안녕   속력

속(速 빠를 속)

속도

'빠르다'를 뜻하는 말이에요.

안(安 편안할 안)

안전모

'편안하다'를 뜻하는 말이에요.

＊'편안'은 '편하고 걱정 없이 좋음'을, '속력'은 '어떤 것이 움직이는 빠르기의 크기'를 뜻해요.

4
주

유의어

🖎 낱말을 읽고, 비슷한말을 찾아 선으로 이으세요.

천천히 •   • 서서히

점검 •   • 검사

속담

🖎 만화를 보고, 상황에 어울리는 속담이 되도록 흐린 글자를 따라 쓰세요.

오늘 비 안 오는데 우산은 왜 챙겨?

어제 비가 왔는데, 우산이 없어서 다 젖었거든요.

소 잃고

외양간

고친다

▶ 속담 '소 잃고 외양간 고친다'는 '소를 도둑맞은 다음에서야 빈 외양간의 허물어진 데를 고친다'라는 뜻으로, 일이 이미 잘못된 뒤에는 손을 써도 소용이 없음을 뜻해요.

스스로 평가 😄 ☺ ☹

3일

낚시

'낚시'와 관련 있는 어휘와 그 뜻을 소리 내어 읽고, 어휘 그물을 살펴보며 빈칸에 알맞은 낱말을 쓰세요.

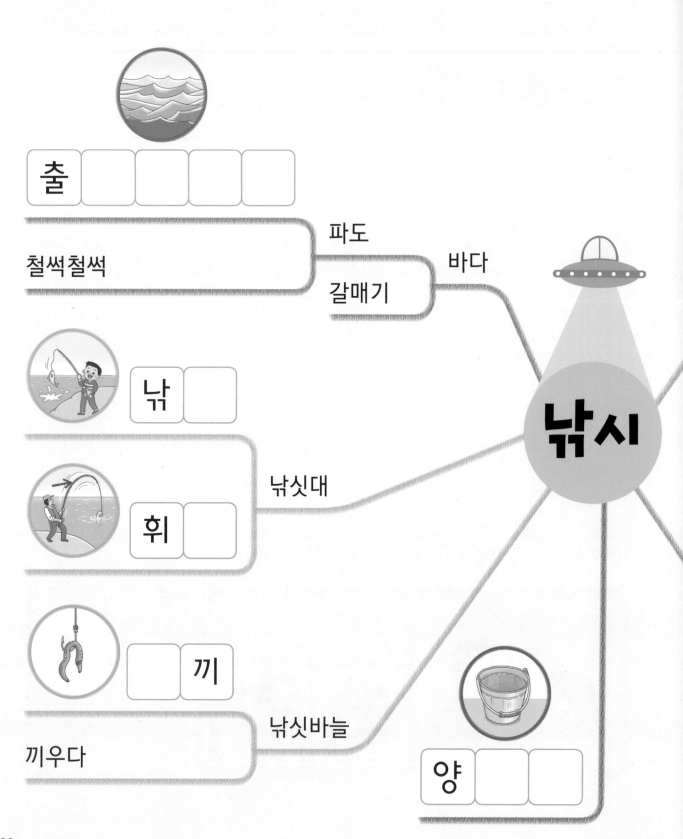

출 □ □ □ □

철썩철썩

파도

갈매기

바다

낚 □

낚싯대

휘 □

끼우다

□ 끼

낚싯바늘

양 □ □

낚시

팔 | | |

물고기

싱 | | |

어휘 읽기

가라앉다
물이나 공중에 떠 있거나 섞여 있던 것이 밑바닥으로 내려앉다.

낚다
낚시로 물고기를 잡다.

뜨다
물 위나 공중에 있거나 위쪽으로 솟아오르다.

미끼
낚시 끝에 꿰는 물고기의 먹이.

싱싱하다
시들거나 상하지 않고 생생하다.

양(洋 큰 바다 양)동이
한 손으로 들 수 있도록 손잡이를 단 통.

출렁거리다
물이 큰 물결을 이루며 자꾸 흔들리다.

팔딱팔딱
작은 것이 기운 있게 자꾸 뛰어오르는 모양.

휘다
곧은 것이 힘을 받아 구부러지다.

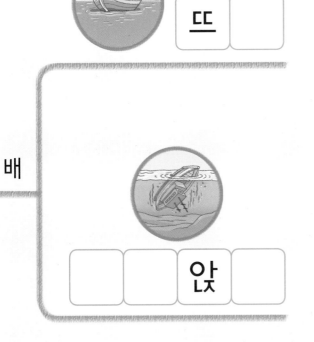

뜨 |

배

| | 앉 |

✎ 뜻을 읽고, 알맞은 낱말을 보기 에서 찾아 빈칸에 쓰세요.

보기	미끼	양동이	출렁거리다	뜨다	팔딱팔딱

① 작은 것이 기운 있게 자꾸 뛰어오르는 모양. ···················

② 낚시 끝에 꿰는 물고기의 먹이. ·····························

③ 물 위나 공중에 있거나 위쪽으로 솟아오르다. ···············

④ 물이 큰 물결을 이루며 자꾸 흔들리다. ·····················

⑤ 한 손으로 들 수 있도록 손잡이를 단 통. ·················

✎ 글을 읽고, ( ) 안에 들어갈 알맞은 낱말을 찾아 선으로 이으세요.

감나무에 감이 많이 열려 나뭇가지가 ( ). •   • 휘었어요

갓 따 온 풋고추가 무척 ( ). •   • 가라앉아

빈 병이 물속으로 꼬르륵 ( ) 버렸어요. •   • 싱싱해요

아빠가 낚시로 팔뚝만 한 물고기를 ( ). •   • 낚았어요

연상 어휘

✎ 그림을 보고, 떠오르는 낱말을 보기 에서 찾아 빈칸에 쓰세요.

보기　　가득하다　　담다

양동이

반의어

✎ 낱말을 읽고, 반대말을 찾아 선으로 이으세요.

뜨다 •

휘다 •

• 곧다

• 가라앉다

사자성어

✎ 만화를 보고, 상황에 맞는 말이 되도록 ? 안에 알맞은 흐린 글자를 따라 쓰세요.

오늘 나랑 도서관이랑 놀이터에 갈 거지?

그럼.

너랑은 떨어질 수 없는 ? 니까.

수어지교

▶ 사자성어 '수어지교'는 '물이 없으면 살 수 없는 물고기와 물의 관계'라는 뜻으로, 아주 친밀하여 떨어질 수 없는 사이를 말해요.

스스로 평가

91

4일

등산

'등산'과 관련 있는 어휘와 그 뜻을 소리 내어 읽고, 어휘 그물을
살펴보며 빈칸에 알맞은 낱말을 쓰세요.

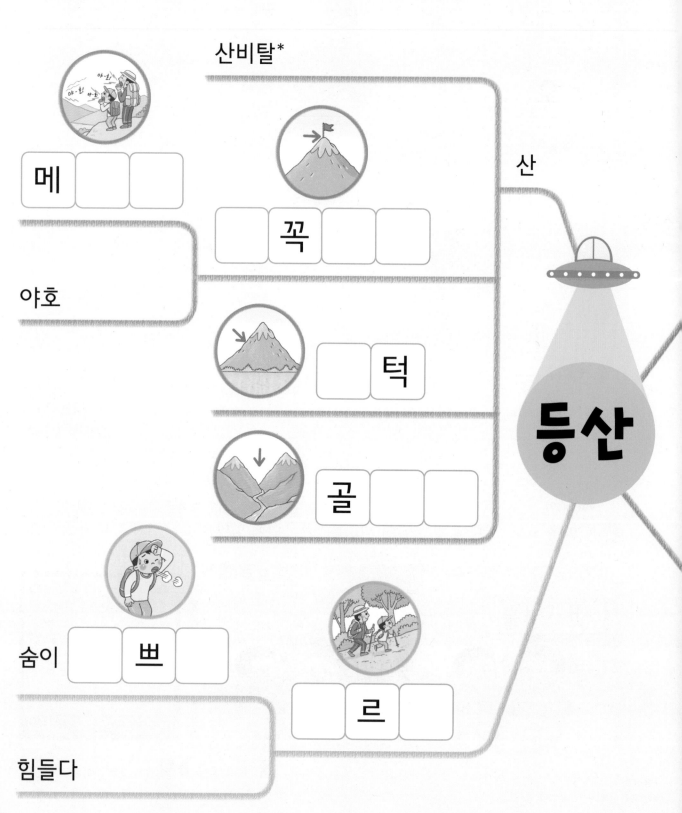

산비탈*

메 □ □

야호 □

□ 꼭 □ □

□ □ 턱

골 □ □

산

숨이 □ 쁘 □

힘들다

□ □ 르 □

등산

4
주

어휘 읽기

오 ☐ ☐ ☐

산로*

내 ☐ ☐ ☐

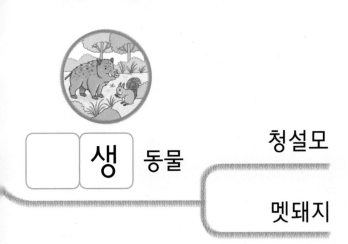

☐ 생 동물　　　청설모

멧돼지

*등산로: 등산하는 길.
*산비탈: 산에 가파르게 기울어져 있는 곳.

가쁘다
숨이 몹시 차다.

골짜기
산과 산 사이에 난 좁고 움푹 패인 곳.

내리막길
한쪽으로 기울어져 내려가게 된 길.

메아리
울려 퍼져 가던 소리가 산이나 동굴 벽에 부딪쳐 되울려오는 것.

산(山 산 산)꼭대기
산의 맨 위.

야생(野 들 야　生 날 생)
산과 들에서 저절로 나서 자라는 것.

오르다
낮은 곳에서 높은 곳으로 움직이다.

오르막길
낮은 곳에서 높은 곳으로 올라가는 비탈길.

중(中 가운데 중)턱
산, 언덕, 고개 같은 데서 중간쯤 되는 곳.

93

✏️ 뜻을 읽고, 알맞은 낱말을 찾아 선으로 이으세요.

산, 언덕, 고개 같은 데서 중간쯤 되는 곳. ●

산의 맨 위. ●

한쪽으로 기울어져 내려가게 된 길. ●

울려 퍼져 가던 소리가 산이나 동굴 벽에 부딪쳐 되울려오는 것. ●

● 내리막길

● 메아리

● 중턱

● 산꼭대기

✏️ 글을 읽고, 바른 문장이 되도록 알맞은 낱말을 보기 에서 찾아 빈칸에 쓰세요.

보기　　야생　　골짜기　　오르막길　　올라요　　가쁘게

① 현지가 뛰어오느라 숨을 [　　　　] 쉬었어요.

② 산에는 [　　　　] 으로 자라나는 약초들이 많아요.

③ 우리 가족은 주말마다 뒷산에 함께 [　　　　].

④ 맑은 물이 산속 [　　　　] 를 타고 흐르고 있었어요.

⑤ 자전거를 타고 가파른 [　　　　] 을 오르려니 무척 힘이 들어요.

한자어

🖎 '산(山)'과 '야(野)'의 뜻을 읽고, 알맞은 낱말을 [보기]에서 찾아 빈칸에 쓰세요.

보기	야외	백두산	산신령	야구

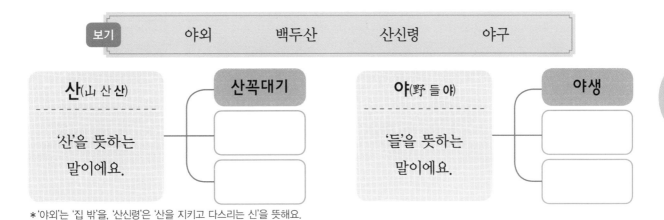

산(山 산 산)

'산'을 뜻하는
말이에요.

산꼭대기

야(野 들 야)

'들'을 뜻하는
말이에요.

야생

* '야외'는 '집 밖'을, '산신령'은 '산을 지키고 다스리는 신'을 뜻해요.

유의어

🖎 낱말을 읽고, 비슷한말을 찾아 선으로 이으세요.

산꼭대기 •

• 산울림

메아리 •

• 산봉우리

속담

🖎 만화를 보고, 상황에 어울리는 속담이 되도록 흐린 글자를 따라 쓰세요.

어휴, 무거워!

도서관 가는 김에
이 책도 반납 부탁해!

산 넘어

산 이다

▶ 속담 '산 넘어 산이다'는 '갈수록 더욱 어려운 지경에 처하게 된다'는 뜻이에요.

스스로
평가 😆 🙂 😞

95

📖 국어 뜻을 읽고, 알맞은 낱말과 그 낱말이 들어갈 문장을 찾아 선으로 이으세요.

| 골짜기나 들에 흐르는 작은 물줄기. | 폭이 좁고 조용한 길. | 한 손으로 들 수 있도록 손잡이를 단 통. | 장사하는 사람. |

오솔길　　　양동이　　　개울　　　장수

숲속의
(　　)을
조용히 걸어요.

신발 (　　)가
신발을 팔아요.

(　　)에
나뭇잎이 동동
떠내려와요.

(　　)에 물이
들어 있어요.

국어 글을 읽고, 바른 문장이 되도록 알맞은 낱말을 **보기** 에서 찾아 빈칸에 쓰세요.

> **보기**   앞장서서   거세요   흉년   가빠요   꽃가루

4
주

① 높은 산을 쉬지 않고 올랐더니 숨이 무척 [   ] .

② 배가 뒤집어질 정도로 파도가 무척 [   ] .

③ 옆집 아저씨는 동네일을 모른 척 하지 않고 [   ] 해요.

④ 올해는 가뭄 때문에 농작물이 잘 자라지 않아 [   ] 이 들었어요.

⑤ 벌들이 몸에 [   ] 를 묻혀서 벌집으로 돌아가요.

* '흉년'은 '농작물이 잘되지 않아 굶주리게 된 해'를 뜻해요.

수학 뜻을 읽고, 알맞은 낱말을 찾아 선으로 이으세요.

물건이나 생각이 마구
뒤섞여서 엉클어진 모양.   •   • 자리

어떤 수를 두 번이나 그 이상
되풀이하여 더하다.   •   • 뒤죽박죽

사람, 물건이 있거나 있을
만한 공간. 수학에서는
어떤 숫자가 놓이는 위치.   •   • 곱하다

📖 통합교과 글을 읽고, 바른 문장이 되도록 알맞은 낱말을 보기 에서 찾아 쓰세요.

보기   물가   안팎   물살   뒷동산

① 송이는 강을 따라 걷다 [   ] 에서 예쁜 조약돌을 주웠어요.

② 우리 마을 [   ] 에 올라가면 온 동네가 한눈에 보여요.

③ 지호는 가족과 함께 집 [   ] 을 깨끗이 청소했어요.

④ 어부가 힘차게 노를 저어 [   ] 을 헤치고 나갔어요.

＊'안팎'은 '안과 밖'을 뜻해요.

📖 통합교과 글을 읽고, ( ) 안에 똑같이 들어갈 낱말을 찾아 선으로 이으세요.

| 동산 위에 밝은 ( )가 떠올랐어요. | 내 동생은 얼굴이 동그란 ( ) 같아요. | 어두운 골목길에서 아빠를 만나니 ( )이 되어요. | 아이가 다치지 않았다는 말에 엄마는 ( )했어요. |

● ● ● ●

안심   달덩이

Q 이야기를 읽고, 물음에 답하세요.

요즘 자전거에 대한 관심이 높아지면서 그에 따른 자전거 안전사고도 많아지고 있어요. 자전거를 탈 때에는 안전모와 팔꿈치 보호대, 무릎 보호대와 같은 장비를 꼭 갖추어야 해요. 또 자동차가 다니지 않는 곳이나 자전거 전용 도로에서 타야 하지요. 특히 내리막길에서는 손잡이를 꽉 잡고 속도를 줄여야 해요. 무엇보다 평상시에 자전거에 이상이 없는지 미리미리 ? 하는 것도 중요하답니다.

1. 뜻을 읽고, 알맞은 낱말을 글 속의 빨간색 낱말 중에서 찾아 빈칸에 쓰세요.

① 한쪽으로 기울어져 내려가게 된 길. ....

② 손으로 잡기 좋게 물건 한쪽에 단 부분. ....

③ 어떤 일을 할 때 갖추는 물건. ....

2. 글 속의 ? 안에 알맞은 낱말을 찾아 ◯ 하세요.

고장	물장구	점검

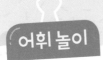
알쏭달쏭 그림 찾기

💡 아래에서 설명하는 낱말을 모두 찾아 좋아하는 색으로 칠하세요.

① 산과 들에서 저절로 나서 자라는 것.

② 물, 구덩이 같은 깊은 곳에 떨어지다.

③ 서두르지 않고 느긋하게.

④ 시들거나 상하지 않고 생생하다.

⑤ 울려 퍼져 가던 소리가 산이나 동굴 벽에 부딪쳐 되울려오는 것.

⑥ 거칠고 세차다.

⑦ 물 같은 것에 넣다.

⑧ 기계나 장난감 같은 물건이 망가지는 것.

⑨ 작은 것이 기운 있게 자꾸 뛰어오르는 모양.

⑩ 물이나 공중에 떠 있거나 섞여 있던 것이 밑바닥으로 내려앉다.

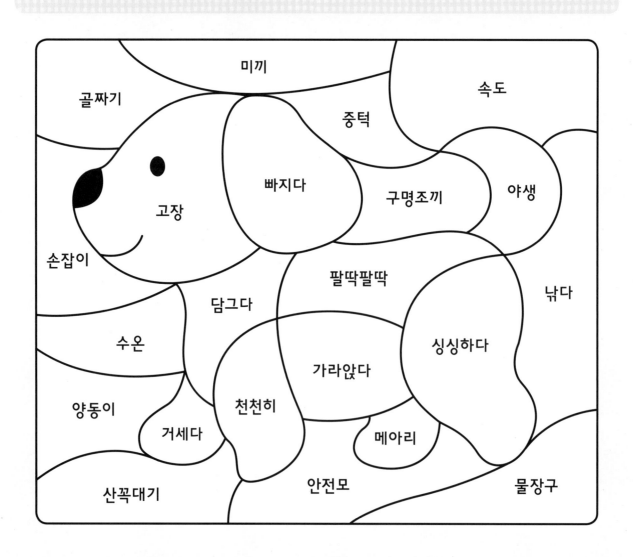

관심 있는 주제를 가운데 동그라미에 쓰고, 어휘들을
자유롭게 적으며 나만의 어휘 그물을 만들어 보세요.

내가 만드는
어휘 그물

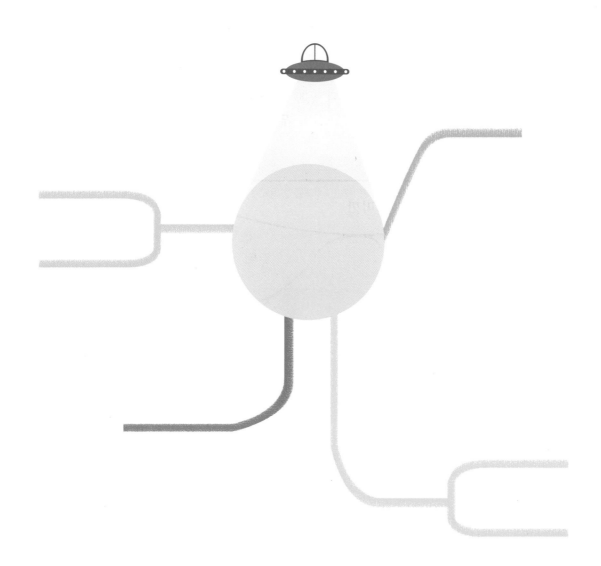

초등 교과 연계표

>> 〈1일 10분 초등 메가 어휘력〉은 초등 주요 교과에서 뽑은 어휘들과 교과 학습에 도움이 되는 어휘들로 이루어져 있습니다.

1주

일	주제	교과 및 연계 단원	
1	방학	국어 2-1 ㉠ 6. 차례대로 말해요 국어 2-1 ㉡ 10. 다른 사람을 생각해요	국어 2-2 ㉠ 2. 인상 깊었던 일을 써요 통합교과 겨울 2-2 1. 두근두근 세계 여행
2	편지	국어 2-1 ㉠ 3. 마음을 나누어요 국어 2-2 ㉠ 3. 말의 재미를 찾아서	국어 2-2 ㉠ 4. 인물의 마음을 짐작해요 통합교과 가을 2-2 1. 동네 한 바퀴
3	공연	수학 2-2 6. 규칙 찾기 통합교과 가을 2-2 1. 동네 한 바퀴	통합교과 겨울 2-2 2. 겨울 탐정대의 친구 찾기
4	체험	국어 2-2 ㉠ 2. 인상 깊었던 일을 써요 국어 2-2 ㉠ 5. 간직하고 싶은 노래	국어 2-2 ㉡ 7. 일이 일어난 차례를 살펴요
5	어휘 복습	국어 2-2 ㉡ 7. 일이 일어난 차례를 살펴요 수학 2-2 1. 네 자리 수	수학 2-2 3. 길이 재기 통합교과 겨울 2-2 2. 겨울 탐정대의 친구 찾기

2주

일	주제	교과 및 연계 단원	
1	도서관	국어 2-2 ㉠ 2. 인상 깊었던 일을 써요 통합교과 가을 2-2 2. 가을아 어디 있니	
2	박물관	국어 2-2 ㉡ 7. 일이 일어난 차례를 살펴요 국어 2-2 ㉡ 11. 실감 나게 표현해요 수학 2-1 1. 세 자리 수	수학 2-2 1. 네 자리 수 수학 2-2 5. 표와 그래프
3	자동차	국어 2-2 ㉡ 8. 바르게 말해요 통합교과 여름 2-1 2. 초록이의 여름 여행	통합교과 가을 2-2 1. 동네 한 바퀴
4	공룡	국어 2-2 ㉡ 7. 일이 일어난 차례를 살펴요 국어 2-2 ㉡ 9. 주요 내용을 찾아요	
5	어휘 복습	국어 2-2 ㉠ 1. 장면을 떠올리며 국어 2-2 ㉡ 7. 일이 일어난 차례를 살펴요 국어 2-2 ㉡ 9. 주요 내용을 찾아요	국어 2-2 ㉡ 11. 실감 나게 표현해요 수학 2-2 6. 규칙 찾기 통합교과 겨울 2-2 1. 두근두근 세계 여행

일	주제	교과 및 연계 단원	
1	바느질	**국어 1-1 가** 1. 바른 자세로 읽고 쓰기 **국어 1-2 나** 8. 띄어 읽어요	**국어 1-2 나** 10. 인물의 말과 행동을 상상해요
2	요리	**국어 1-1 나** 9. 그림일기를 써요 **국어 2-2 가** 5. 간직하고 싶은 노래	**통합교과 여름 2-1** 2. 초록이의 여름 여행
3	반려동물	**국어 1-2 가** 2. 소리와 모양을 흉내 내요 **국어 2-2 가** 3. 말의 재미를 찾아서	**통합교과 가을 2-2** 2. 가을아 어디 있니
4	장마	**국어 1-2 가** 2. 소리와 모양을 흉내 내요 **국어 1-2 나** 10. 인물의 말과 행동을 상상해요	
5	어휘 복습	**국어 1-2 나** 7. 무엇이 중요할까요 **국어 2-1 나** 9. 생각을 생생하게 나타내요 **수학 2-1** 2. 여러 가지 도형	**수학 2-1** 6. 곱셈 **통합교과 봄 2-1** 2. 봄이 오면 **통합교과 여름 2-1** 2. 초록이의 여름 여행

일	주제	교과 및 연계 단원	
1	물놀이	**국어 1-2 가** 1. 소중한 책을 소개해요 **국어 2-1 가** 6. 차례대로 말해요	**통합교과 여름 2-1** 2. 초록이의 여름 여행
2	자전거	**국어 1-2 가** 5. 알맞은 목소리로 읽어요 **국어 1-2 나** 8. 띄어 읽어요	**국어 2-1 나** 8. 마음을 짐작해요
3	낚시	**국어 1-2 나** 7. 무엇이 중요할까요 **국어 2-1 나** 11. 상상의 날개를 펴요	**국어 2-2 나** 7. 일이 일어난 차례를 살펴요
4	등산	**국어 1-1 나** 8. 소리 내어 또박또박 읽어요 **국어 2-1 가** 3. 마음을 나누어요	**통합교과 봄 1-1** 2. 도란도란 봄 동산
5	어휘 복습	**국어 2-1 가** 5. 낱말을 바르고 정확하게 써요 **수학 2-1** 1. 세 자리 수	**수학 2-1** 5. 분류하기 **통합교과 봄 2-1** 1. 알쏭달쏭 나

1주 정답

1일

8~9쪽

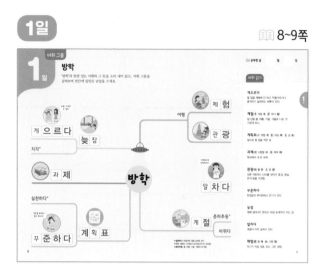

10~11쪽

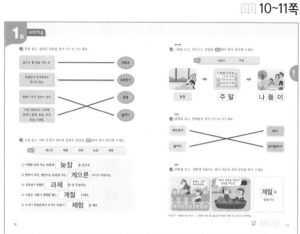

2일

12~13쪽

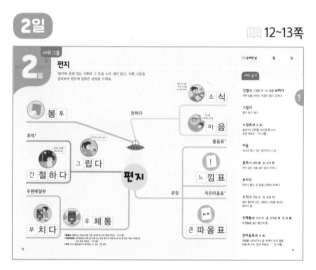

14~15쪽

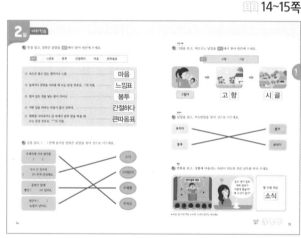

3일

16~17쪽

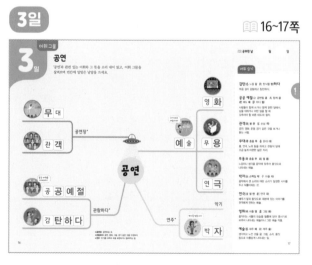

18~19쪽

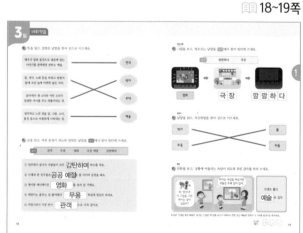

4일

📖 20~21쪽

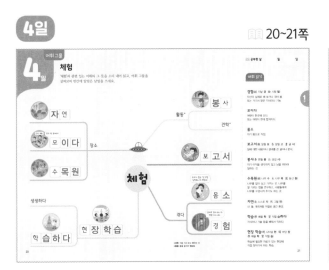

📖 22~23쪽

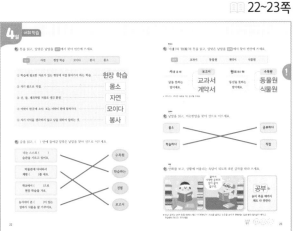

5일

📖 24~25쪽

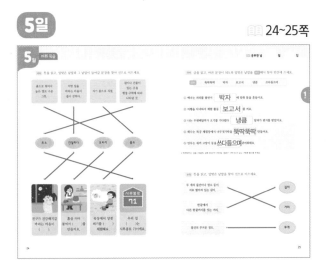

📖 26~27쪽

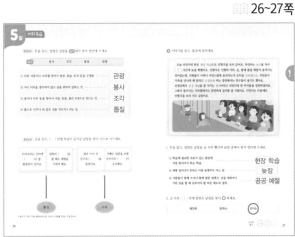

📖 28쪽

2주 정답

1일

📖 32~33쪽

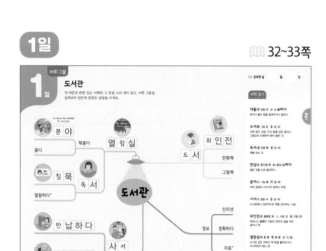

📖 34~35쪽

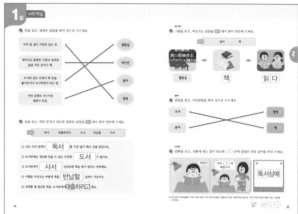

2일

📖 36~37쪽

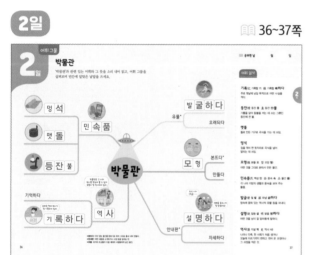

📖 38~39쪽

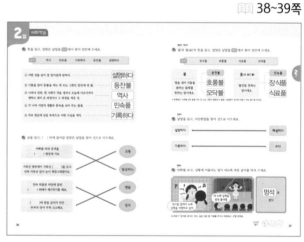

3일

📖 40~41쪽

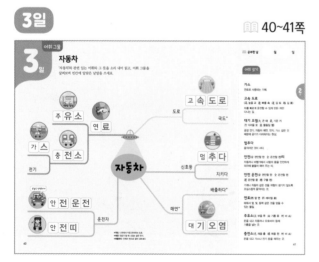

📖 42~43쪽

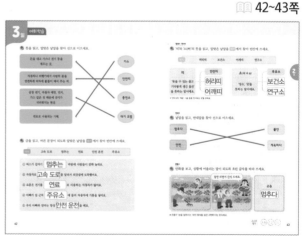

4일 📖 44~45쪽 📖 46~47쪽

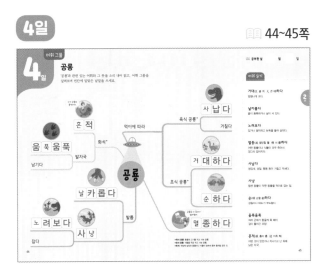

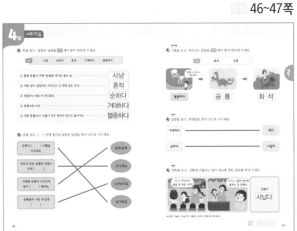

5일 📖 48~49쪽 📖 50~51쪽

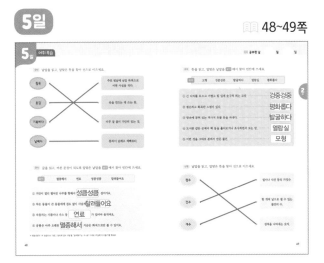

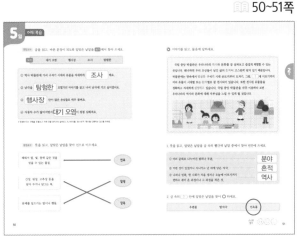

📖 52쪽

3주 정답

1일

📖 56~57쪽

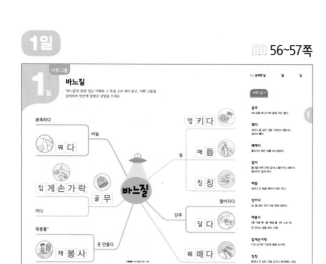

📖 58~59쪽

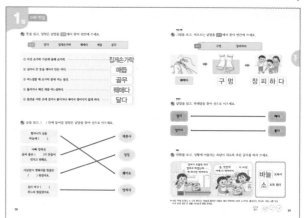

2일

📖 60~61쪽

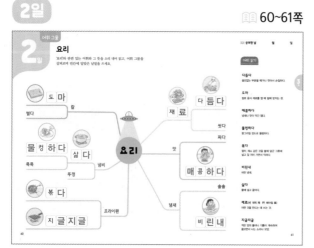

📖 62~63쪽

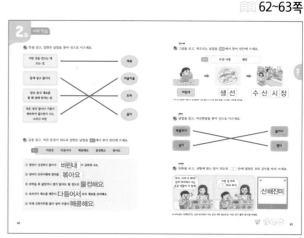

3일

📖 64~65쪽

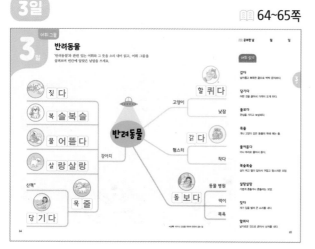

📖 66~67쪽

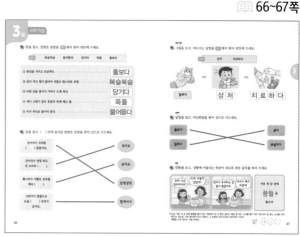

4일   📖 68~69쪽   📖 70~71쪽

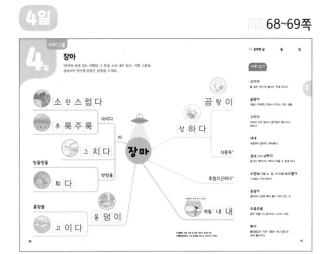
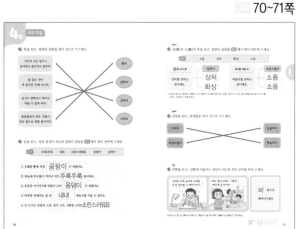

5일   📖 72~73쪽   📖 74~75쪽

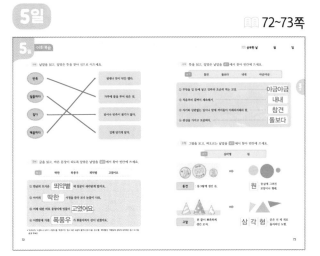
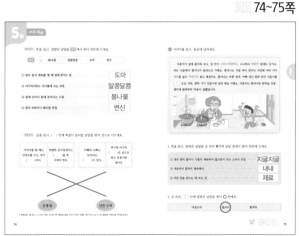

📖 76쪽

4주 정답

1일 📖 80~81쪽 📖 82~83쪽

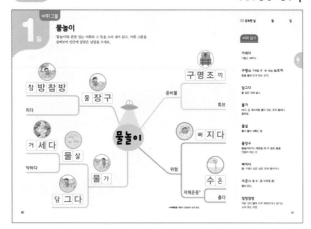

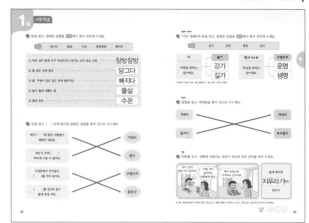

2일 📖 84~85쪽 📖 86~87쪽

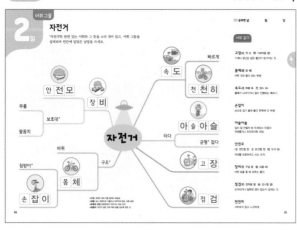

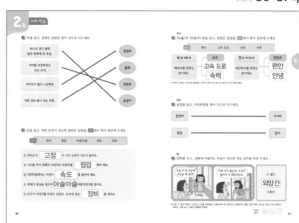

3일 📖 88~89쪽 📖 90~91쪽

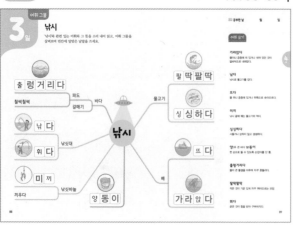

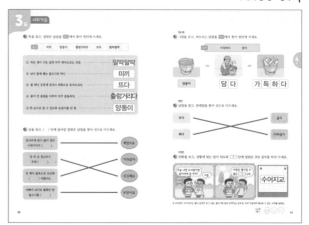

4일

📖 92~93쪽

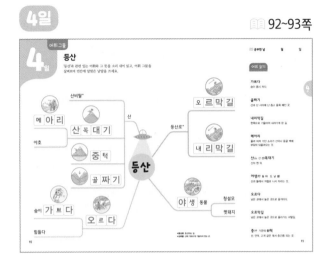

📖 94~95쪽

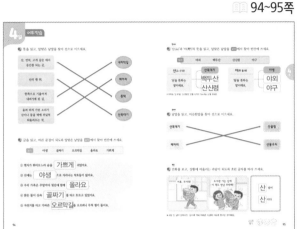

5일

📖 96~97쪽

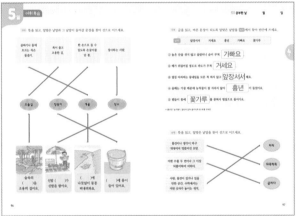

📖 98~99쪽

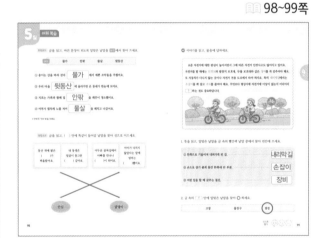

📖 100쪽

초등 메가 어휘력 어휘 주제표

예비 초등

구분	1권	2권	3권
1주	나	동물	신체
1주	가족	식물	얼굴
1주	유치원	음악	감정
1주	친구	미술	식사
2주	옷	일기 예보	운동회
2주	건강	무더위	놀이
2주	생활 도구	바다	놀이공원
2주	우리 동네	눈	여행
3주	건강한 생활	농장	운동 경기
3주	병원	농부	교통
3주	청소	직업	안전
3주	집	이웃	시간
4주	봄	명절	하루
4주	여름	예절	일기
4주	가을	우리나라	학교
4주	겨울	세계	옛이야기

초등

구분	초등 1~2학년			초등 3~4학년		
	1권	2권	3권	4권	5권	6권
1주	나	동물	방학	나	문학	한글
1주	가족	식물	편지	집	민주주의	일
1주	학교	곤충	공연	자연환경	날씨	공공 기관
1주	친구	질병	체험	전통 음식	문화유산	회의
2주	예절	시간	도서관	언어	시	쓰레기
2주	우리 동네	옛날	박물관	고장	명절	갯벌
2주	명절	환경	공룡	물질	환경 오염	자연재해
2주	우리나라	우주	자동차	교통과 통신	소설	전쟁
3주	성격과 감정	도구	바느질	측정	감각	물체
3주	우정	음악	요리	지도	경제	자석
3주	대화	미술	반려동물	지각	희곡	달
3주	친척	세계	장마	가족 행사	우주	과학자
4주	봄	농사	물놀이	가정	위인	여가
4주	여름	조상	자전거	음식	전통	배
4주	가을	작은 동물	낚시	절약	국가	교통사고
4주	겨울	화재	등산	의사소통	올림픽	에너지